青春文庫

読み出したらとまらない

世界史の裏面

歴史の謎研究会[編]

JN113938

青春出版社

はじめに

世界史ほど、興味深いドラマは、まずありません。世界史は、興味深いエピソードの宝庫、ダイナミズムに満ちた壮大な物語です。

もちろん、「大人の教養」としても、世界史の重要ポイントくらい、頭に入れておきたいもの。現在進行中のウクライナ問題にしても、パレスチナ問題にしても、歴史的背景を知っているかどうかで、理解度は大きく変わってきます。また、「歴史は繰り返す」といわれるくらいで、将来を予測するためにも、歴史の知識は欠かすことができません。というわけで、本書では、世界史の重要ポイントを「疑問形式」で総ざらいしました。

・ゲルマン民族が故郷を離れて大移動したのは？
・西ヨーロッパがイタリア、ドイツ、フランスに分かれた経緯は？
・ロシアはどうしてあんなに大きな国になった？

などなど、世界史の気になる謎解き話をお楽しみいただきながら、あなたの世界史知識を総チェックしていただければ、幸いに思います。

２０２３年12月

歴史の謎研究会

読み出したらとまらない世界史の裏面■目次

1 原始・古代 13

3 アジア…………85

4 中世

5 近世

7

近現代 203

図版・ハッシィ
DTP・フジマックオフィス

1

どうして世界各地に「洪水伝説」が残っているのか？

原始・古代

This book collects a series of
behind-the-scenes incidents
from world history.

人類の祖先は、なぜアフリカで生まれた？

人類の起源は、一般的には、ひとつの源に遡《さかのぼ》ることができるとされる。場所はアフリカ。アフリカ中部で発見された約600万～700万年前の猿人の化石が、今のところ「最古の人類」とされている。

霊長類から進化した人類は、やがて二本の足で歩くようになり、猿人となる。猿人の化石はほぼアフリカでしか発見されていないので、人類の祖先、猿人はアフリカで生まれたと考えられるのだ。

では、なぜ、霊長類（類人猿）は、ヒトへと進化したのか。

それは、アフリカの地形と深い関係がある。その頃、アフリカ東部では、マントル対流によってプレートの分裂がはじまり、キリマンジャロをはじめとする火山群が生まれ、活発に活動するようになる。この火山活動の影響で、付近一帯が乾燥した気候へと変化、それまで熱帯雨林だったところが、草原地帯になった。通説では、この環境変化が、サルからヒトへの進化を促したとされる。

それまで密林の中で木から木へと飛び回っていた霊長類は、見晴らしのきく草原でより遠くを見渡せるようにと、二足歩行するようになった、という考え方が一般的である。

どうして世界各地に「洪水伝説」が残っているのか？

『旧約聖書』によれば、かつて神は、〝道を乱した〟人類を滅ぼそうと決意した。神は、敬虔なノアに方舟《はこぶね》をつくらせ、ひとつがいずつの動物たちを避難させた上で、40日間、地上に雨を降らせ続けた。洪水ですべての生き物が死滅した地上で、ノアは新しい子孫を生み育てていった。

じつは、このノアの方舟以外にも「洪水伝説」は、世界各地に残されている。

では、実際に大洪水はあったのだろうか。あったのは確かである。しかし、それは〝地球規模〟の洪水ではなく、メソポタミア地方を襲った地域災害としての洪水だったというのが、現在の定説になっている。

実際、メソポタミア地方の地質調査では大洪水の痕跡の残る地層が確認されている。そして、この地方に伝わるギルガメッシュ神話にも、ノアの方舟とよく似た洪水伝説が残っている。それらがやがて各地に広まり、旧約聖書などの洪水伝説に発展したと考えられている。

「農耕のはじまり」がどうして大問題なのか?

農耕はメソポタミア文明ではじまった、というのが長い間〝定説〟とされてきた。しかし、この定説も近年の研究でくつがえされつつある。

たしかに、メソポタミアでは、かなり早い時期に農耕がはじまっていた。紀元前9000年頃に、東からシュメール人がやってきて農耕を始めたのが、メソポタミア文明のはじまりであり、それが農耕のはじまりと考えられていた。しかし、近年の世界的な発掘調査によって、世界のさまざまな地域から、さらに古い農耕の存在を示す遺跡が見つかっているのだ。

まず、中国長江流域。１９７０年代に発掘された河姆渡《かぼと》遺跡からは大量のもみがらやイネの葉が発見され、すでに稲作農耕がはじまっていたことがわかった。時期的には、メソポタミアとほぼ同時期か、あるいはさらに遡るという説もある。

また、イラン高原の西部では、紀元前７０００年頃に小麦、大麦などの栽培が行われていた。その農耕技術は、アフガニスタン、パキスタンなどに伝わり、やがてインダス文明に発展する。

また、東南アジアでも、タロイモ、ヤムイモ、バナナなどが栽培されていた。さらに、アフリカ大陸では、モロコシ、トウジンビエが、また、アメリカ大陸では、トウモロコシ、ジャガイモ、サツマイモ、カボチャ、トマトなどが栽培されていた。

つまり、農耕はどこかひとつの地域ではじまって、それが世界中に広まったのではなく、いくつかの地域でそれぞれ独自に発生したと考えるのが現在の定説なのだ。

ところで、なぜ人類の歴史の中で〝農耕の起源〟がこんなに問題になるのか？

それは、文明の起源に直結するからだ。

農耕がはじまり、その技術が向上していくなか、「余剰生産物」が生じ、働かなくても食べられる人たちが生まれる。すると、役割分担が生まれ、階級が生じるなか支配層が現れ、権力＝都市国家が登場するというわけだ。

世界ではじめてパンを食べたのは誰？

エジプトとメソポタミアはいろいろな意味で対照的な存在だ。たとえば「パン」についても……。

世界で最初にパンを食べたのは、メソポタミアの人々だった。メソポタミアでは、紀元前7500〜6500年頃には、すでに小麦の栽培が行われ、紀元前4000年頃には、パンがつくられていた。

ただし、この時代の「パン」は、小麦粉を砕いて水を加えて練った生地を、ただ焼いただけのもの。つまり、まだ発酵という技術がなかった。この「無発酵パン」

は、たとえばお好み焼きの生地のようなものだと思えばいいだろう。それが、メソポタミアの人たちの「パン」だった。

この「パン」は、やがてエジプトに伝わり、ここで、偶然「発酵」技術が誕生した。紀元前3000年頃のこと、いつものように水でこねた小麦粉を一晩ほうっておいたら、空気中のイースト菌がついて発酵したのだ。これを焼いてみたら、ふっくらとおいしいパンができあがったとみられる。

その後、エジプトでは、パンをつくる技術が発達し、ハチミツを混ぜたパンやビスケットも生まれた。

パンはエジプトの主要な食べ物になり、神に供えたり、貨幣のかわりに交換されるようにもなった。そして、エジプト人は周辺の民族から「パンを食べる人」と呼ばれるようになる。

では、いったいなぜ、パンは、メソポタミアではなく、エジプトで発展したのだろうか。

これは、単なる偶然ではない。メソポタミアには粘土質の土壌が広がっているが、小麦を細かくひくためには、石のほうが適している。その点、エジプトには石が豊富にあったのだ。エジプト人たちは、その石を利用し、石臼を使って小麦を細かく製粉する技術を発展させた。それに伴い、パンをつくる技術も発展したと考えられている。

人類が最初に手に入れた金属は？

金属を手に入れることで、人類の歴史は大きく前進することになるが、さて人類が最初に手にした金属は何だったのだろう？

正解は、銅である。

金や銅は、鉄などとちがって酸化しにくいので、自然界に単体で存在できる分、特別な技術がなくても採取しやすい。ただし、天然の金はごくわずかしかないので、銅がまず最初に利用されることになったと考えられている。

紀元前4000年頃、メソポタミア北部アナトリア高原で、最初の銅器がつくられたとみられている。

はじめは、自然銅を利用して武器や装飾品に加工していたが、やがて銅鉱石を高熱で溶かして銅を取り出す方法が発見される。

この銅の起源は、古代史をめぐる大胆な仮説の根拠にもなっている。その仮説とは、エジプト文明はメソポタミアの人々が移住して創始したという説だ。

エジプトで初期王朝が成立する以前、上エジプトではすでに銅・石器併用がはじまっていた。これが紀元前4000年頃で、メソポタミアで銅器の製造がはじまったのと同時期なのだ。しかも、エジプトにはそれ以前にほとんど文明の痕跡がない。にもかかわらず、いきなり高度な技術でつくった銅器が残されている。これはなぜなのか。

こう考えれば、説明がつく。

メソポタミアから銅を求めてシナイ半島に進出した人々が、やがてナイル川流域にまで行き着いた。そして、そこに定住して銅を製造し、メソポタミアに送っていた。これが、エジプト文明の起源となった――。

だとすると、エジプト文明も、メソポタミア文明も、もとは一緒ということになるがはたして――。

古代文明はなぜ
大河のほとりで栄えた？

かつては、世界の四大文明という言葉がよく使われたが、その四大文明とは、メソポタミア文明、インダス文明、エジプト文明、黄河文明の総称。これらの文明には、いずれも大河のほとりに栄えた、という共通点がある。

メソポタミア文明は、今の南イラク、ティグリス川とユーフラテス川の河口付近。インダス文明は、インドのインダス川流域。エジプト文明は、世界最長の河川ナイル川の下流。黄河文明は、中国黄河流域に、それぞれ栄えた。

では、なぜこれらの文明は大きな河川の流域で発達したのだろうか。

それには、いくつかの理由がある。まずひとつは、氾濫《はんらん》だ。

大きな河川が氾濫すると、周辺の土壌を豊かにする。たとえばインダス川周辺地域の場合、毎年6～8月頃には雨期にはいる。モンスーンがやってきて水かさが増すと、たちまち氾濫してあたりは水浸しになる。すると、肥沃な沖積土が堆積して

■四大文明の分布

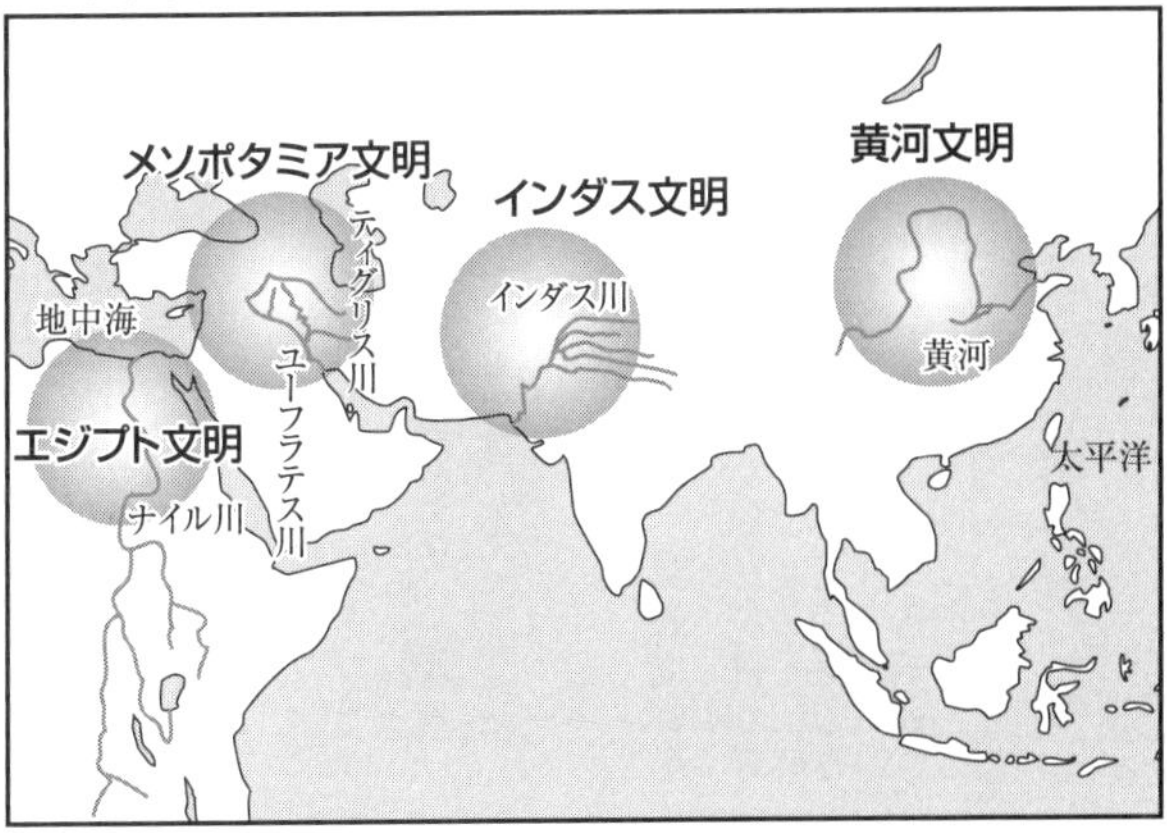

地味が肥えるのだ。

この肥えた大地に小麦をまいて、翌年の雨期の前に収穫。するとまた、モンスーンがやってきて、また沖積土が蓄積される。だから、土地が痩せることがない。これが「氾濫農耕」と呼ばれるサイクルだ。

さらに河川には、交通路としての役割がある。文明が栄え、都市が繁栄すると、さまざまな物資を運搬する必要が生じる。とりわけ、建築に使う木材や石材などを、当時、陸路で運ぶのは至難の業。ところが船を使えば、メソポタミア文明の場合、ティグリス川から大量のレバノン杉を運び込めたし、エジプト文明の場合、ナイル川上流アスワンの石材を下流まで運ぶことも可能だった。

また、大河は他部族の襲撃から都市を守る防備の役割もはたしたと考えられる。

というわけで、古代人にとって、大河はまさにさまざまな意味での〝ライフライン〟だったのだ。

ヒッタイト帝国は鉄製の武器をどうやって生み出した？

石器時代、青銅器時代、鉄器時代のように、先史時代は〝使っていた道具〟で区別される。なぜ、青銅か鉄かに注目するかと言えば、農具などの日常用具の性能が飛躍的に向上したということもあるが、見逃せないのは武器の技術革新である。

青銅器しかない国と鉄器をもつ国が戦ったら、これはもう後者が勝つに決まっている。事実、紀元前2000年頃に突如として登場したヒッタイト帝国は、鉄製の武器でメソポタミアを制圧した。

ヒッタイトは、鉄剣ばかりか鉄製の「軽戦車」を駆使して、近隣の国々を次々と撃破。南方の大国エジプトとも、しばしば勢力争いをくり広げた。

ヒッタイトは、当然〝鉄の製法〟を門外不出の技術として、決して国外に漏らさないようにしていた。

この製鉄技術が流出するのは、紀元前1190年以降のこと。ヒッタイトが「海の民」によって滅ぼされてからだ。〝鉄の国〟ヒッタイトを滅ぼした、この「海の民」という異民族については、詳しいことは謎のままになっている。

古代エジプトで、銀が金より価値があったのは？

かつて、金よりも銀のほうが価値のある時代があった。「かつて」と言っても、1世紀や2世紀前ではなく、古代エジプト時代の前期にまで遡る。当時、銀は金の約2・5倍もの価値があったのだ。

貴金属の価値は、その生産量に反比例する。つまり少ないほど、希少価値が生じるということだ。

金は砂金として自然に存在するが、銀を得るには鉱石から製錬する技術が必要だ。それは、古代の技術ではひじょうに難しい作業であり、手にできる銀の量はごくわずかだった。そのため、銀のほうがより高価な貴金属とされていたのだ。古代エジプトでは、金にわざわざ銀メッキを施すこともあったくらいである。

やがて、製錬法が発達して大量の銀がつくられるようになると、その価値は逆転し、ツタンカーメンの頃には、すでに金は銀の約2倍の価値をもつようになる。ご存じの通り、ツタンカーメンの墓からは、数々の黄金の品々が発掘されている。

もちろん、ツタンカーメンの墓だけに黄金が使われていたわけではなく、他の王の墓はほとんど盗掘にあっていたので、そうした貴金属の類はすでに持ち去られた後だったのである。今でもそうだが、人間、富と権力を手にすると、貴金属をかき集めたくなるらしい。しかし、エジプトの場合は、もうひとつ金にこだわる理由があった。

金は錆びない、つまり永遠であるということだ。古代エジプト人は、来世での永遠の命を信じていたから、肉体をミイラにして遺そうとした。そのさい、顔が腐って欠けてしまうことをおそれ、黄金のマスクをつくった。すべては、永遠の命を得るためだったのだ。

「化粧」はそもそも誰がはじめたのか？

化粧の歴史は古い。最初に化粧をしたのは、約5万年前のクロマニヨン人だと言われている。

ただし、化粧をしていたのは、女性でなく男性。当時の男たちは、狩りに出る前、まじないのために、体に染料をペインティングして飾り立てていたのだ。

現代の化粧に近いものが登場したのは、古代エジプトである。映画やイラストで見るクレオパトラの目もとは、上下にクッキリとアイラインが引かれている。そんなふうに目もとを強調するのが、当時のエジプト流の化粧だった。

その目的は、もちろん美しくみせるためだが、化粧の目的はそれだけではなかったと考えられている。目の周りを黒く塗るのは、エジプトの大地に照りつける強い日差しを避ける日よけや、虫除けの意味もあったようだ。

当時すでに、アイシャドーだけでなく、口紅や頬紅、手や足の指を赤く染めるマニキュアやペディキュアもあった。さらには、当時は露わにしていた〝胸〟にも化粧が施されていた。乳房の血管をより青く見せるとともに、乳頭を金色でペイントして強調していたのだ。

その頃の男性もまた、化粧をしていた。ツタンカーメンの墓から出土したマスクからもわかるように、やはり目もとに化粧を施していたようだ。副葬品のなかからは、さまざまな種類の化粧品が見つかっている。

そうした化粧の技術が、その後、ヨーロッパに伝わり、現代の西洋式メイクの源流になった。古代ローマ時代には、現代の化粧品とほとんど変わらないアイテムがそろっていたとみられる。

幻の大陸「アトランティス」の話のソースは？

「まさか！」と思っても、それが権威のある人の言うことなら、「もしかしたら…」

と思ってしまうのは、今も昔も同じ。アトランティス伝説も、うさんくさい人物が言い始めたのなら誰も信じなかっただろうが、これが大哲学者プラトンの言うことだから、誰もが「もしかしたら……」と思うのだろう。

アトランティスをめぐる伝説は、紀元前400年頃に書かれたプラトンの著書『クリティアス』と『ティマイオス』に登場する。「〝ヘラクレスの柱〟の向こうにあって、栄華を極めたが、紀元前1万年頃、神の怒りをかって海中に没した」という幻の大陸だ。このアトランティス大陸は本当に実在したのか？　実在したとすれば、一体どこにあったのか？　有力な説はいくつかある。

「ヘラクレスの柱」とは、ジブラルタル海峡にある二つの山。だとすると、アトランティスは海峡の外側にあったことになる。（そのため、大西洋をAtlantic Oceanという）。海峡の西には、カナリア、マデイラ、アゾレスなどの諸島がある。14世紀にスペイン人がこの島々を発見したときに、住民たちはアトラスの石像を守護神とし、「神が我々をこの島に移し、そして置き忘れた」と語ったとされる。つまり、これらの島々こそ、アトランティス大陸の名残りというのだ。ただ、その後、さまざまな調査が行われてきたが、科学的な確証は得られていない。

また、アトランティスはクレタ島のことだとする説もある。地中海のクレタ島には、かつてミノア文明が栄えたが、サントリーニ島の噴火による津波で滅んでしまった。しかし、この説は年代や位置が、プラトンの記述と一致しない。

さらに、かつて文明が栄えたマルタ島周辺の海域でも、文明の痕跡が発見されていて、これをアトランティスとする説もある。ところが、やはりプラトンの記述とは食いちがう。

結局のところ、現在では「伝承の元になった事実はあったかもしれないが、アトランティス大陸そのものは存在しなかった」という見方に落ち着いている。

幻の部族「アマゾネス」は、歴史上存在したか?

その部族には、女性しかいない。しかし、戦いにはめっぽう強かった。女兵士たちは、鎧を着て馬に乗り、弓を武器に戦う。その勇壮さは、近隣の部族から恐れられていた。

部族として血脈を保つには子孫を残さなければならない。そこで、ときどき近隣の国に出かけていって、男たちと交わる。そして、生まれてきた子が男だったら殺してしまい、女だけを育てる。やがて成長したら、右の乳房を切り落としてしまう。弓を射るのに邪魔になるからだ。

こうした伝承を残す女性たちによる部族を「アマゾネス」という。古代の大歴史家ヘロドトスが書き記しているギリシアに残る伝説だ。この話、あくまで伝説だったのだろうか、それとも本当にアマゾネスはいたのだろうか。

この話に興味をもったイギリスの女性映像作家リン・ウェブスター・ワイルドは調査を行った。文献にあたってみると、アマゾネスがいた可能性があるのは、①トルコのエーゲ海沿岸、②トルコのポントス山脈と黒海の間、③カフカス山脈の北方、ウクライナ、モルドバ、ロシアのステップ地帯、④北アフリカのリビアの四つの地域ということになる。彼女は、これらの地域を訪ね、考古学者などに取材を試みた。

その結果、たしかに鎧や武器とともに埋葬された女性の人骨が発見されていることがわかった。しかし、そうした女性兵士の人骨は、全体の4分の1にすぎなかった。しかも、いっしょに馬具のたぐいは発見されていないから、馬に乗って戦ったかどうかもわからない。

結局、アマゾネスが実在したという証拠は得られなかった。そこで、彼女は、こう結論づけた。ウクライナ周辺の遊牧民スキタイ人には、はっきりしたジェンダー（男女の役割分担）はなかったのではないか。だから、女性も腕の立つ者は武器を持って戦うことがあった。そうした事実が誇張されて、後世アマゾネス伝説を生んだのではないか、と。

ちなみに、南米のアマゾン川の名は、16世紀にインカ帝国を滅ぼしたピサロが、この川で女性だけの現地部族に襲われたのを、「アマゾネスの再来」と言ったことに由来する。

「世界最初の都市」っていったいどこ？

イラクは現代史でも重要な地域だが、古代史においても、きわめて重要な地位を占めている。世界最古の文明、メソポタミア文明が栄えた地域であるばかりでなく、歴史上はじめて「都市」が出現した地域でもあるからだ。

シュメール人たちがインド方面からこの地に移住してきて、農耕を始めたのは、前述したように紀元前9000年頃のこと。紀元前6500年頃にはぽつぽつと集落が形成され、紀元前3000年前後には、メソポタミア南部にいくつかの都市国家が生まれる。

そのうち、最大の都市だったのがウル。レンガ造りの祭壇を中心とした神権国家で、周囲を城壁で囲み、ウルク、ラガシュ、キシュなど近隣の都市国家と交易や戦争を繰り返しながら発展していったと考えられている。

なにしろ、今から5000年前のことだから、「都市」といっても、もちろん現代の都市とはちがうわけだが、そのなかにも現代に通じる部分もある。たとえば、都市機能を維持するために、王、官僚・神官、軍人、商人、職人などの階級があり、貧富の差が大きかったことはわかっている。また、ワインやビールなどの酒も、当時すでに存在し、ワインは高級品で、ビールは庶民の飲み物、というのも今と同じ。女性が飲み物をサービスする職業があったのも今と同じ。

ところで、この都市国家、その後、衰退したのは、都市を拡大するために周囲のレバノン杉を次々と伐採し、森林資源が枯渇してしまったため、とみられている。つまり、都市ができた当初から、環境破壊はすでに〝都市問題〟だったのだ。

文明のはじまりは、いまどこまでわかったか？

かつては、人類の文明は、メソポタミア、インダス、エジプト、黄河のいわゆる四大文明からはじまったといわれたもの。しかし、近年では、その〝定説〟が大きく揺らいでいる。各地で発掘が進み、四大文明以外の多様な文明の存在が次々と明らかになったからである。

たとえば、１９７０年代に発掘された中国浙江省河姆渡《かぼと》遺跡である。長江流域のこの遺跡からは、７０００年前の住居や倉庫の跡、イネなどが出土。つまり、黄河文明より早く、紀元前５０００年頃には、すでに稲作を中心とする都市文明が、この流域に栄えていたことが判明したのだ。

あるいはヨーロッパのクレタ文明。エーゲ海最大の島クレタ島は、メソポタミアやエジプトに近く、それらの文明の影響を受けて、独自の文明を築き、麦やオリーブを栽培、羊や山羊の放牧も行われていた。しかし、紀元前1450年頃、クノッソスの宮殿を残して、突然滅んでしまったとみられる。

また、アメリカ大陸のメキシコ周辺では、古代マヤ文明やアステカ文明などが興亡したが、これらはメソアメリカ文明と総称され、高度な建築技術と暦などの知識をもっていたことがわかっている。一方、南米では、アンデス山脈の山岳地帯と海岸部にアンデス文明が栄えていた。

このほか、規模の大小はさておき、世界各地にさまざまな〝文明〟が存在していたことがわかり、「四大文明」という言葉は、使われる機会が激減している。

インダス文明が滅びた本当の原因は？

エジプト文明は約2700年続いた。メソポタミア文明は約3000年、続いている。

ところが、インダス文明は誕生からわずか500年で消滅している。

代表的な遺跡は、ハラッパーとモヘンジョダロだが、ともに高度に整備された都市機能を持っていたことで知られている。城壁に囲まれた市街地は整然と区画整理され、下水道設備やゴミ処理システムのようなインフラが整備されていた。文献が少ないことから、まだ多くの謎が残されたままになっているが、もっとも大きな謎は、これだけ高度な文明が、なぜわずか500年間で滅んだのか、ということだ。

従来は、遊牧民族であるアーリア人に滅ぼされた、と考えられていたが、今ではもっと有力な説が複数浮上してきている。

そのひとつは洪水説だ。モヘンジョダロは、インダス川流域にある。地殻の変動によって、河口付近の土地が隆起して大洪水が起き、農地が使えなくなってしまったというのだ。

さらに、その頃、地球規模の環境変化が起こり、もともとは湿地帯であった付近一帯が、乾燥してしまったという説もある。彼らは、メソポタミアのような日干しレンガではなく、高度な技術と手間のかかる焼きレンガを使っていた。それは、この地域が湿地帯であったことを示している。ところが、現在、ここは乾燥地帯だ。その急激な気候変化が、この時期に起こったというのだ。

そして、最近になって浮上してきたのが、環境破壊説だ。彼らは、大量のレンガを焼くために、周囲の森林を伐採して燃料にしていたと考えられる。この環境破壊が、土壌の保水力を奪い、洪水を起こりやすくした、という説だ。

「孤立した土地」エジプトになぜ高度な文明が生まれた？

支配民族がコロコロ変わったメソポタミアに対し、エジプトは長期にわたって〝安定政権〟が続いた地域といえる。

紀元前３０００年頃の初期王朝時代にはじまって、紀元前３００年頃まで続く末期王朝時代にいたるまでの約２７００年、中間期と呼ばれるいくつかの王朝交代による混乱期はあるものの、異民族の大規模な侵略を受けることもなかった。かなり平和で安定した文明だった、といえるだろう。

■エジプト文明の遺跡

その要因はこの地の自然条件にある。まず、北は地中海にふさがれている。南からはナイル川が流れているが、上流には大きな滝がいくつもあるので、異民族が川を下って侵略してくることもまずない。それに、ナイル河口付近のデルタ地域は、東西を石灰岩の段丘に守られ、さらにその向こうは延々と続く砂漠。東西からも、異民族が侵略してくることはなかった。

こんなふうに地理的に孤立していたことが、エジプト文明を長く安定させた最大の要因だった。

では、逆に、この〝孤立した〟土地に、なぜ高度な文明が芽生えたのか。

それは、ナイルの氾濫のおかげである。氾濫といっても、〝河岸が決壊して津波のように水が押し寄せる〟といったイメージとはまるで異なる。ナイルの氾濫は、毎年7月にはじまり、増水したナイル川の水があふれ出し、徐々に農地に浸透していく。このときに、上流から豊かな泥土が運ばれてくるのだ。

さらに、定期的に訪れるこのチャンスを効率よく利用するために、水路を掘り、台地をつくるなど、高度の灌漑技術がさらに農業の生産効率を上げた。

古代エジプトで、ミイラが盛んにつくられたのは？

古代エジプトのミイラは、王などの権力と財力がある人だけのものだったかというと、それは誤解。古代エジプトでは、ミイラはごく一般的なもので、数千万体以上もつくられたと考えられている。

もちろん、現在に良好な状態で残されているミイラは、〝高貴なお方〟のものが多い。しかしこれは、そうしたミイラが手間ひまかけて丹念につくられ、ていねいに埋葬されていたから。ミイラのつくりかたにも〝松竹梅〟があって、庶民のミイラは、内臓を抜き取るなどの工程を省略した〝梅コース〟だったため、大半が腐敗して消滅してしまったのだ。

ではいったい、エジプト人たちはなぜ競ってミイラになりたがったのだろうか。

古代エジプト人は、死後の世界を信じていた。というより、死後の世界＝来世こそ本当の世界で、そこで永遠の命を得られると考えていた。

来世に行った魂が現世に戻ったときの帰る場所として、肉体をミイラ化して保存しておく必要があったのだ。

ちなみに、古代エジプトでは、人間ばかりでなく、ネコなどのペットのミイラも盛んにつくられていた。

ピラミッド建設は
公共事業だったというのは本当？

古代史には、依然数多くの謎が残されているが、さしずめエジプトのピラミッドは、その最大の宝庫といえる。だいたい、この巨大な建造物が〝いったい何だったのか〟さえ、いまだはっきりしていないのだ。

従来は、ファラオ（王）の墓、つまり古墳ではないか、という見方が有力だったが、ピラミッド内部からファラオの遺体は発見されていないし、1人のファラオが複数のピラミッドを建造したこともわかっている。そこで、「巨大な日時計だ」「いや、数学の記録保存所なのでは」などの諸説が入り乱れ、結局は「農閑期の公共事業として建造したファラオのシンボル」というのが、今のところ定説になっている。

こうした公共事業説の根拠のひとつに、労働者に対する好待遇が挙げられる。紀元前5世紀の歴史家ヘロドトスは、「クフ王はエジプト全国民を強制的にピラミッド建造に駆り出した」と記しているが、近年の調査でわかったことは、むしろ逆である。

労働者たちは、王を讃え、喜んでこの労働に従事していたことが、石切場の落書きなどからわかってきたのだ。労働者には衣食住すべてが十分に支給され、彼らは専用の住宅に住み、労働のあとはビールを飲むなど、豊かな暮らしを楽しんでいたとみられるのだ。

ハンムラビ法典が「目には目を」を原則にしたのは？

ハンムラビ法典は「目には目を、歯には歯を」というフレーズで知られる。この「目には目を」、今は「やられたら、やり返せ！」という意味で使われることが多いが、本来の意味は少しちがう。

紀元前1770年頃のバビロニアでは、暴力行為が互いの報復によってエスカレートすることがしばしばあった。とくに、殺人に対する報復は、むしろ神聖な行為とみなされたので、報復が報復を呼び、互いに当事者がいなくなるまで繰り返された。

そこで、ハンムラビ王は、社会秩序を維持するために、「同害報復」の原則を定めた。報復する相手は当事者のみとし、同等の処罰を与えるというものだ。つまり、「やられたら、やり返せ！」ではなく、「やられても、必要以上にやり返したらダメですよ」というのが、「目には目を」の本来の意味である。

ハンムラビ法典は、すべての条文が完全なかたちでのこっている法典としては、世界最古のものだ。

ということもあって、さぞ立派な法律と思っている人も多いだろうが、それは誤解に近い。なにしろ、4000年も前の社会通念・モラルに基づいて成立した法律、現代の目からみれば、驚くような条文が並んでいる。

たとえば、全237条の第1条は、「人を死刑に価すると訴えて立証されなければ、死刑に処す」。まるで、トランプゲームの「ダウト」のようなシステムだ。

しかも、立証する手段がないときは、被告者を水に投げ込んで溺れて死ねば有罪。生きて浮かんでくれば無罪で、逆に原告が死刑になる、というように、現代の目からみれば、乱暴きわまる法律が並んでいる。

「バベルの塔」の高さは何メートルくらいあった？

現代でも、実現不可能な計画、神をも恐れぬ行為を、比喩的に「バベルの塔」というが、これは『旧約聖書』の記述に基づく。

『旧約聖書』創世記第11章によれば、その昔、人々は天上までとどく塔を建造しようとした。この尊大な計画を知った神は、人間たちを懲らしめるために、たがいに異なる言葉を話すようにし、意思が通じ合わないようにした。このため、計画は頓挫してしまう。だから、今でも世界中にさまざまな言語がある——というわけだ。

じつは、このバベルの塔は実在した、という説がある。「バベル」はヘブライ語でバビロンを指し、バビロンといえば、メソポタミアに栄えた古代王朝の首都である。

紀元前6世紀頃に即位したネブカドネザル2世は、それまでの戦乱で荒廃した首都バビロンを復興し、空中庭園、イシュタル門など、巨大建築物を次々に建造。その中のひとつが、「バベルの塔」だったのではないか、と考えられているのだ。

高さは約90メートル（これは、後のギリシャの歴史家ヘロドトスが著作に記している）、底面90メートル四方、最上層は約20メートル四方の四角錐。塔というよりは、〝四角いプリン型のビルディング〟のようなものだったと考えていいだろう。

ちなみに高さ90メートルというと、だいたい地上26階ぐらいになる。

「ストーンヘンジ」は誰がどんな目的でつくったの？

イギリス南部ソールベリー平原の「ストーンヘンジ」は、ロンドンから車で2時間ほどの場所にある。高さ5～6メートルもある30個の巨石が柱のように環状に並び、その上にどうやって載せたのか、巨石が水平に渡してある。このストーンヘンジ、いったいなんのために建てられたのだろうか？

ストーンヘンジは、一時に建造されたものではなく、三段階にわたって、つくられたとみられている。

最初に、まず円形の土手と堀が掘られ、集会所として利用されていた。これは現在も、外側の大きなサークルとして残っている。次に、木造の建造物が建てられたとみられるが、その形状については謎のままだ。最後に、巨石が運び込まれて、今に残るサークルが建造された。

このサークルは、宗教的な儀式が行われた祭壇のようなものだった、という説が、今は有力になっている。夏至の日に、中心の祭壇石から、ヒールストーンと呼ばれる玄武岩を結んだ方向に日が昇ることから、太陽崇拝と関連するという見方だ。そのほか、古代の天文台、ケルト民族のドルイド教徒の礼拝場など、諸説あるが決め手はない。

ちなみに、ストーンヘンジほど大規模ではないが、日本の東北、北海道地方にも、いくつかのストーンサークルが遺されている。とくに、秋田県鹿角《かづの》市の大湯環状列石と北海道小樽市の忍路《おしょろ》環状列石が有名だ。

ヨーロッパに住んでいたケルト人はどうなった？

ケルト人というと、今ではアイルランドやウェールズといった狭い地域に住む人々というイメージが強いが、もとはヨーロッパ大陸に広く分布する民族だった。

彼らは、前1500年頃までに、ドナウ、ライン川沿いを中心とするヨーロッパ中央部に定着し、前700年頃、鉄器時代に入った。そして、「ラ・テーヌ文化」

（前500年頃～前200年頃）と呼ばれる全盛期をむかえ、鉄製の武器や戦車を駆使する戦士階級が、それぞれの社会を支配するようになった。

一般に、この時期のヨーロッパ史は、「ギリシア・ローマ文化圏」ばかりが注目され、他の文化がなかったかのように思われがちだが、アルプスの北方に目をやると、ヨーロッパ文化のもうひとつの源流である「ケルト文化」が花開いていたのである。

その後、前2世紀後半になって、ケルト人はローマに征服され始め、前1世紀、カエサルによって「ガリア」がローマの支配下に入った。「ガリア」とは、ケルト人を意味するラテン語の「ガリ」からきた言葉で、ケルト人が住んでいたアルプス以北の地域をさす。

さらに、後1世紀にはブリテン島がローマ帝国の支配下に入り、ケルトの勢力範囲はアイルランド、スコットランド、ウェールズ、コンウォール、大陸棚のブルターニュ地方を残すのみになった。それとともに、ケルト人はローマ人やアングロ・サクソン人と融合していく。

しかし、彼らの固有文化がまったく消えてしまったわけではない。そもそも「ケルト」とは、古代から「人種」として存在していたわけではなく、固有の宗教や神話や宗教を共有する人々を指していた。

現在、「ケルト」と呼ばれるのも、やはり「古代ケルトの血」を受け継ぐ人というのではなく、ケルト系言語（アイルランド語、ウェールズ語など）や、ケルト文様に代表される美術、口頭伝承の伝統などを引き継ぐ人々をさしている。

その意味で、ケルト文化を保って生きる「ケルト人」は、いまなお現存するといえる。

イエス・キリストの血液型は？

イエス・キリストの血液型には、一応の定説がある。ＡＢ型だったというのだ。なぜわかるのかというと、「聖骸布《せいがいふ》」と呼ばれる聖遺物に付着していた血痕から分析したものだという。現代の科学を駆使した結果だから、その分析結果にはまちがいはないだろう。しかし問題は、その「聖骸布」が本物かどうか、という点である。

「聖骸布」とは、キリストを葬ったときに、その亡骸を包んでいた布のことで、現在、トリノの聖ヨハネ洗礼教会の大聖堂に保管されている。長さ約14フィート、幅約3・5フィートの織布で、不思議なのは、その表面に男性の全身像が浮き出ていることだ。

もちろん、熱心な信者は、この「聖骸布」を本物と信じているが、1988年に〝事件〟が起こる。オックスフォード大学、アリゾナ大学、スイス連邦工科大学という三つの機関が「聖骸布」の破片を鑑定したところ、いずれも1260〜1390年、つまり中世につくられた偽物という結果が出たのだ。

しかし、これで偽物として決着するかと思ったら、そうはいかなかった。鑑定に使われた布は、後の火災で焼けた部分を修繕した箇所だったと主張する者、布に浮き上がった像はネガ像であるのに、写真技術が発明されていなかった中世に〝ネガ像〟を描けるはずがないとする者など、鑑定結果に異を唱える声が続々と上がったのだ。

結局のところ、「聖骸布」の真偽も、キリストの血液型も、今も謎のまま、ということになっている。

「西暦」がつくられる前、歴史の年代はどうやって記録した?

「西暦」というシステムは、いったいいつ生まれたのだろうか?

もちろん、キリスト誕生と同時に、西暦1年、西暦2年と勘定していったわけではない。西暦ができたのは、6世紀のことである。ローマ法王の命を受けて、神学者ディオニシウス・エクシグウスが算出した。

当時、ローマでは、ディオクレイティアヌス紀元といって、皇帝ディオクレイティアヌスが即位した年を紀元としていた。しかし、この皇帝がキリスト教の迫害者だったため、法王は別の紀元をキリストの誕生年とするように命じ、ディオニシウス・エクシグウスがこれを算出したのだ。

聖書の記述を天文学の知識に照らして計算したようだが、途中で計算がずれてしまったようだ。今では、キリストの生誕は西暦元年の4年前、つまり「紀元前」であることがわかっている。

2

ソクラテスが死刑判決を受けた判決理由は？

ギリシア・ローマ

This book collects a series of behind-the-scenes incidents from world history.

なぜ狭いギリシアに1500ものポリスが生まれた？

ギリシアでは、紀元前8世紀頃から、「ポリス」と呼ばれる都市国家が次々と誕生した。各ポリスの広さは、現在の日本の地方都市ほどと小規模だったが、それぞれ国家として独立していた。

最盛期には1500以上あったとみられているが、それだけ多くのポリスが誕生したことには、ギリシアの複雑な地形が関係している。

ギリシアは九州の1・5倍ほどの面積に、多くの島があるうえ、陸地の地形は、山がち。しかも、海岸線が複雑に入り組んでいるため、古代では各都市間の交流が困難だった。そのため、統一国家としてまとまりにくく、数多くの都市国家が並び立つことになったのだ。また、ポリス以前の時代、人々が小さな共同体に分かれて暮らしていたことも、多くのポリスが誕生する背景になった。

それらのポリスは、互いに戦争や同盟に明け暮れたが、統一されることはなかった。しかし同時に、各ポリスの人々は「ギリシア人」としての同胞意識を抱き、その象徴が4年に1度のオリンピックだった。この大会は、神に捧げる儀式として共同で営まれ、その期間中は、ポリス間のいかなる戦争も休戦状態になった。

たくさんのポリスの中で、アテネが大発展した理由は？

古代ギリシアに、1500以上あったポリスの中でも、もっとも発展したのはアテネである。アテネが他のポリスを圧倒した第一の理由は、他国が太刀打ちできない強力な軍隊を擁していたことだ。

数多くのポリスが協力して戦った紀元前5世紀のペルシア戦争でも、アテネの軍事力は抜きん出ていた。戦後、勝利の立役者となったアテネは、盟主となってデロス同盟を結成する。

そして、各ポリスから集めた上納金によって、パルテノン神殿を建て、道路や港を整備。ますます豊かになって、軍事力も蓄えていった。同盟から離脱の動きがあれば、すぐに軍隊を派遣して鎮圧し、また、積極的に遠征を繰り返しては、新たなポリスを支配下に置いていった。

当時、アテネと同様、軍事力によって他国を支配したポリスにスパルタがあった。やはり、強力な軍隊を背景に、ペロポネソス同盟によって他国を支配した。やがてアテネとスパルタの利害がぶつかり、ペロポネソス戦争へと発展する。

この戦争では、スパルタが勝利をおさめ、アテネ中心のデロス同盟は消滅することになる。そのため、軍事バランスが崩れ、あちこちでポリス同士がぶつかるようになり、ギリシアはいわば〝戦国時代〟に突入した。

戦乱が続くなか、古代ギリシア文明は衰え、紀元前338年、ギリシア全域はついにマケドニア王国に征服されることになった。

マラソンの伝説を生んだ「マラトンの戦い」ってどんな戦い？

マラソンのルーツとなった「マラトンの戦い」とは、どんな戦いだったのだろう

■ペルシア戦争の舞台

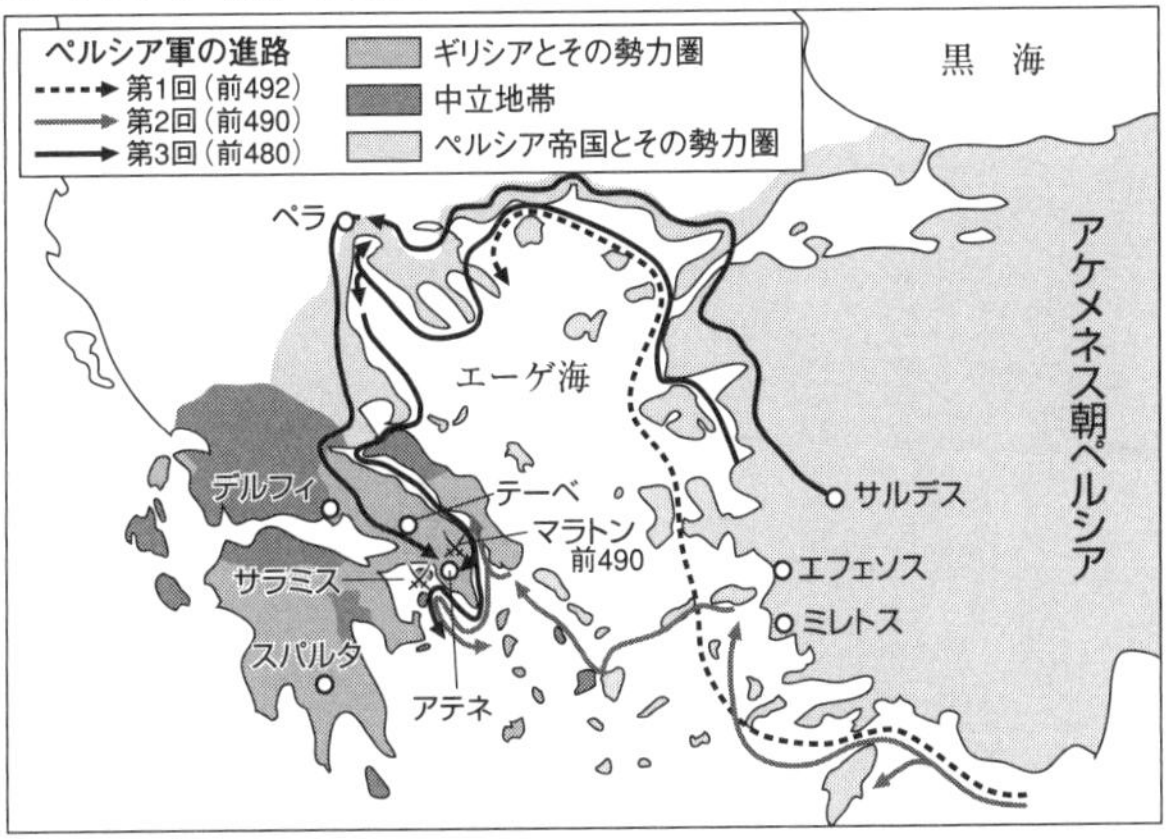

か。

アテネで民主政治が進展していた頃、ギリシア人の活動圏は、エーゲ海東部のアナトリア（現トルコ）西岸にまで広まっていた。

その地域は、当時、アケメネス朝ペルシアによって制圧されていたが、ギリシアも商業都市ミレトスを建設して、貿易などを行っていた。このミレトスを中心とした諸都市が、紀元前５００年、ペルシアの専制支配に対して反乱を起こす。それをギリシアのポリス連合が支援したことで、「ペルシア戦争」は勃発した。

アテネは、ミレトスを支援するため、20隻の軍艦を派遣。ところが、ペルシア軍の反撃にあって、あっけなく敗走する。

ペルシア軍は、その勢いのままアテネへ軍を送りこみ、ギリシア全域の制圧をもくろんだ。

第一回遠征は、紀元前492年のことだった。ペルシア軍はギリシアに迫ったが、暴風のため、主要な軍艦が大破。目的を果せず、引き返した。

そこで、2年後の紀元前490年、再び、ペルシアは3～4万の軍隊を送り込む。そして、上陸したのが、海沿いの平野であるマラトンだった。

この地で、アテネは、約1万の軍隊で、ペルシア軍を迎え撃った。アテネ軍は、人数的には不利だったが、重装歩兵が頑丈な防具で身を固め、ペルシア軍の矢による攻撃をものともせずに進軍する。

とくに、大きな効果を発揮したのが、相手を蹴散らしながら進んだ重装歩兵がペルシア軍の背後を衝くという作戦だった。

大混乱に陥ったペルシア軍は、退路をふさがれたという恐怖心から自滅。ペルシアのギリシア侵攻計画は、マラトンの戦いによって挫折した。

これが、「マラソン競技」を生んだ「マラトンの戦い」であり、元祖〝マラソン・

ランナー〟はその勝利の知らせをアテネへと伝えたのである。

ソクラテスが死刑判決を受けた判決理由は？

古代ギリシアを代表する哲学者に、ソクラテスがいる。

彼は、生涯を通じて1冊の本も書かなかったが、その思想は、弟子のプラトンの著作を通じて知ることができる。

ところが、そんな哲学の巨人は、紀元前399年、裁判で死刑の宣告を受ける。そして、判決に従い、毒ニンジンを食べて死を受け入れた。いったい、なぜ、ソクラテスは、死刑宣告を受けなければならなかったのだろうか。

当時、彼の住んでいた都市国家のアテネは、衰退の坂道をころげおちていた。そのきっかけとなったのは、スパルタとの泥沼の戦争である。

当時、アテネでは、18歳以上の自由民男子によって構成される「民会」で、政策を決定するという政治システムをとっていた。ところが、スパルタとの30年近い戦争中、「デマゴーグ（煽動家）」と呼ばれた無定見な政治家が、指導権を握るようになる。

そんな中、改革に立ち上がるように説いてまわったのが、ソクラテスだった。衰退するアテネを「眠りに落ちようとする馬」に見立て、「自分は、馬の眠りをさます1匹のアブ」だと言って、青年の奮起を訴えた。

ところが、政治の中心にいた守旧派は、ソクラテスの行動を快くは思わなかった。彼らは、ソクラテスがアテネの神々とは異なる神々を信じ、青年たちを堕落させているとして、民衆裁判に訴えて死刑を求めた。

ソクラテスは反論し、無罪を主張したが、守旧派の息のかかった裁判官による投票の結果、死刑と確定したのである。

為政者たちは、自分たちの失政を棚にあげ、改革を訴えるソクラテスをスケープゴートに仕立てたのだった。

ソクラテスは、周りの人たちから、逃亡や亡命を勧められたが、「悪法も法」として宣告に従い、死を選んだのだった。アテネは、その後、破滅への道を突き進むことになる。

なんでアレクサンドル大王はそんなに強かった？

ギリシアで、各ポリスが戦争を繰り返していた頃、北方のマケドニア地方に王制の国家が誕生した。やがて、そのマケドニア王国はギリシア全土を抑え、さらにつぎのアレクサンドル大王の時代には、ヨーロッパから西アジアに至る大帝国を築き上げる。

強力な軍事力によって平定していったのだが、マケドニア軍がそれほど強かったのは独自の戦法を編み出したからだった。

その基礎をつくったのは、アレクサンドル大王の父親であるフィリッポ2世である。彼は、人質としてテーベというポリスに滞在している間、名将として知られたエパミノンダスの戦術を研究。帰国後、テーベやアテネ、スパルタといった先進国に対抗するため、軍隊を改革する。

まず、それまでは一騎討ちを得意としていた騎兵を組織して、騎兵隊を作った。

■アレクサンドル大王の帝国

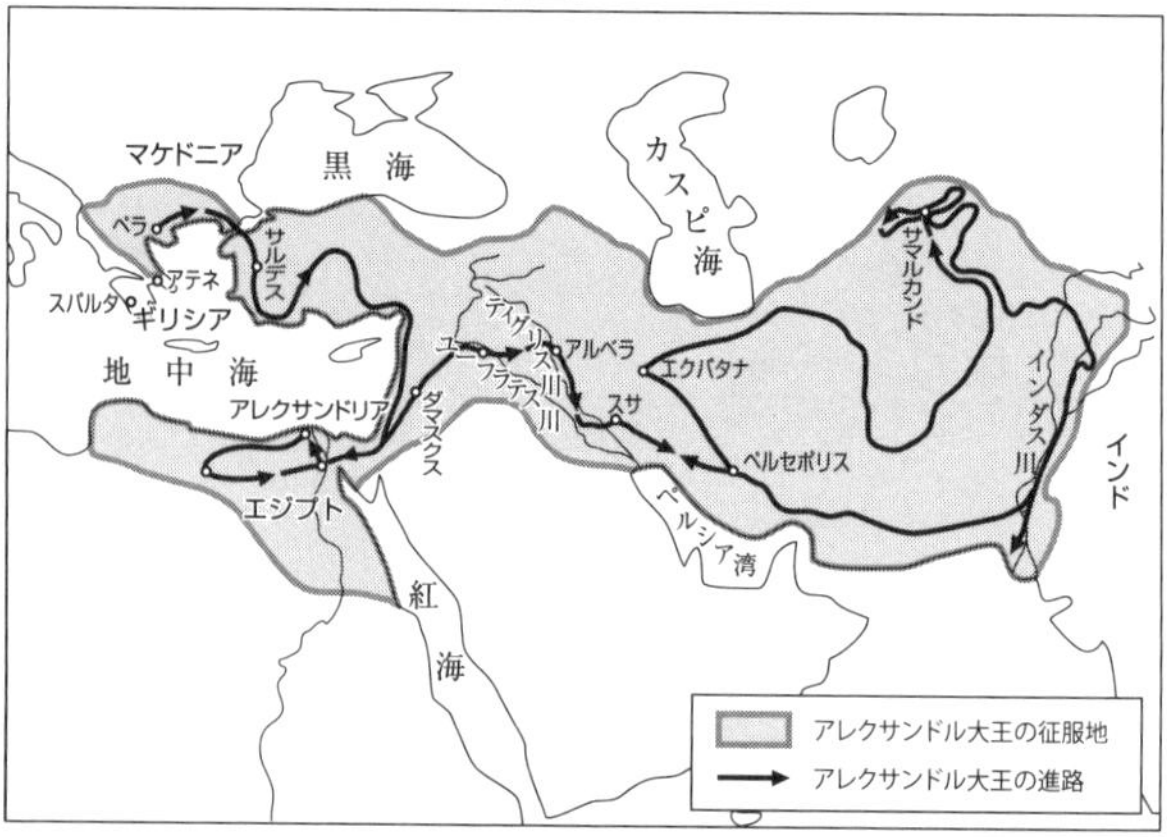

さらに、留学中に学んだ〝斜線陣〟という戦法を取り込んだ。その戦法は、歩兵を16列の横隊に並べ、その左翼に有力な重装歩兵を集中、中央と右翼に、騎兵と軽歩兵を配置するというものだった。これによって、中央と右翼が相手の攻撃を防ぎながら、敵陣を引きつけているうちに、強力な重装歩兵が、手薄となった左翼から前進。さらに、中央と右翼の敵軍の背後に回って打ちのめすという戦法だった。

しかも、歩兵は、長い槍をもつ密集兵として編成されていた。多人数が一団となって長い槍で攻撃してくれば、敵は後退せざるをえない。敵を後退させながら、左右と中央の横隊が連携して敵を叩くという戦法が、無敵の最強部隊を生み出したのだ。

アレクサンドル大王は、この父親が伝えた戦法に修正を加えながら、その戦闘能力によって大帝国を築きあげたのだった。

アレクサンドル大王の帝国があっという間に滅んだのはなぜ？

ヨーロッパから西アジアまで征服したアレクサンドル大王。しかし、その大帝国は、偉大な王の急死によって、あっという間に崩壊した。

紀元前323年、新たな遠征を前に、大王は、側近たちと毎日のように宴会を開いていた。

ところが、5月末に体調を崩したかと思ったら、6月1日には、熱病におかされて病床に伏せってしまう。

病床においても、なお部下に指示を与えていたが、ついに、口がきけなくなり、その2日後には、あっけなく息を引き取ってしまったのだ。まだ32歳の若さだった。

あまりにも突然の死だっただけに、後継者は決まっていなかった。たちまち元側近たちが、後継争いを繰り広げるようになる。

じつは、大王の生前から、各地の太守たちが、小規模な争いを繰り返すようになっていた。

たとえば、大王が東征に出れば、監視の目の届かない西方で、勝手な振る舞いをする太守が現れていたのである。また、延々とつづく東征に飽きた兵士たちからも、不平不満の声が上がるようになっていた。こういった大帝国ゆえのタガのゆるみが、大王後の後継争いに拍車をかけた。

結局、40年つづいた後継争いによって、ペルシア、メソポタミアから小アジアまでを領するセレウコスの王国と、エジプトのプトレマイオス王国、マケドニア王国の3国に分裂。

それぞれの地で、アレクサンドル大王の遠征が生みだしたヘレニズム文化が花開いたが、彼が築き上げた巨大な帝国は崩壊することとなった。

クレオパトラは、実際どんなタイプだった？

「クレオパトラの鼻が、もう少し低ければ、世界の歴史は変わっていただろう」と言ったのは、17世紀の哲人パスカル。プトレマイオス朝エジプト王国の最後の女王クレオパトラ7世は、絶世の美女として知られ、ローマの英雄カエサル、カエサル亡きあとは将軍アントニウスを誘惑して再婚するなど、男性を骨抜きにしてしまう「魔性の女」タイプだったとされる。

彼女が、次々と男性を骨抜きにしたのは、その雰囲気や話し声に魅力の源があったようだ。後世の書物には、「周囲の者を香気でつつむ態度は、強い刺激をもたらした」「彼女の声調には甘美さが漂い、その舌は多くの弦楽器のようだ」などと、彼女の魅力が紹介されている。

しかも、彼女は、エジプト語やギリシア語をはじめ、多くの言葉を自在に操った。男性の祖国の言葉で甘くささやいたことも、英雄たちを虜《とりこ》にした理由だったのかもしれない。

もっとも、絶世の美女とされるクレオパトラだが、現実にどんな顔をしていたかはよくわかっていない。彼女の彫像として伝わっているものはいくつかあるが、どれが実物に近いか、特定できないからである。

また、「絶世の美女」と書いたのは、もっぱら後世の歴史家であり、比較的近い時期の1世紀から2世紀にかけて活躍した文人プルタルコスは、「彼女の美しさは、必ずしも比類なきものというほどではなく、見る人が驚くほどではなかった」と失礼なことを書き残している。

ローマ帝国は、どうやって生まれ、どう発展した?

ローマ帝国の最盛期は、五賢帝が治めていた2世紀頃である。当時の領土は、ヨーロッパから西アジア、北アフリカと、地中海を取り囲むように広がり、ローマの人々は地中海を「われらの海」と呼んでいた。

ふりかえれば、ローマ帝国のルーツとなる都市国家が生まれたのは、紀元前8世紀のこと。イタリア半島中部のティベレ川流域に生まれた王政の都市国家がそのはじまりだ。

当時、その地域は、イタリア半島北部民族のエトルリア人に支配されていたが、紀元前6世紀末には、エトルリア人の王を追放。国民によって選ばれた議員が政治を行う共和政の都市国家となった。

その小さな都市国家がやがてイタリア半島を統一し、大帝国へと発展していく。それは、当時、最強の軍団を擁していたからである。その強さの秘密は、厳しい軍規と報奨制度にあった。

たとえば、脱走と持ち場離脱は、即座に死刑。臆病な振る舞いをした者も、厳しく罰せられた。また、部隊全体が、戦闘中に不名誉な行動を取れば、部隊の10人に1人を処刑する「デキマティオ」という刑罰が待っていた。生き残った兵士も、その後陣営の外に野営させられ、食事も小麦の代わりに大麦が配給された。名誉が重んじられた時代に、そうしたみじめな生活をしなければならないことは、耐え難い屈辱だった。

その一方で、戦闘で活躍した兵士は、全軍の前で名前を呼ばれ、槍や馬具とともに名誉の勲章を授与された。

共和政時代のローマは、貴族が執政官を独占して政治の実権を握り、貴族と平民が対立する傾向にあったが、ひとたび戦争となれば、貴族と平民が一致団結。つぎつぎと戦いに勝利することで、領土を拡大していったのである。

かくしてローマは、小都市国家として誕生してから、約600年で地中海の覇者となるまでの成長を遂げた。

カエサルが「賽は投げられた」と叫んだのは、どんな場面？

「賽《さい》は投げられた」「ブルータス、お前もか」「来た、見た、勝った」など、ローマの英雄カエサルは数多くの名言を残している。なかでも、「賽は投げられた」という言葉は、いまも世界中で使われているが、そもそもこの名セリフは、どんな場面で発せられたものだろうか。

■三頭政治とは？

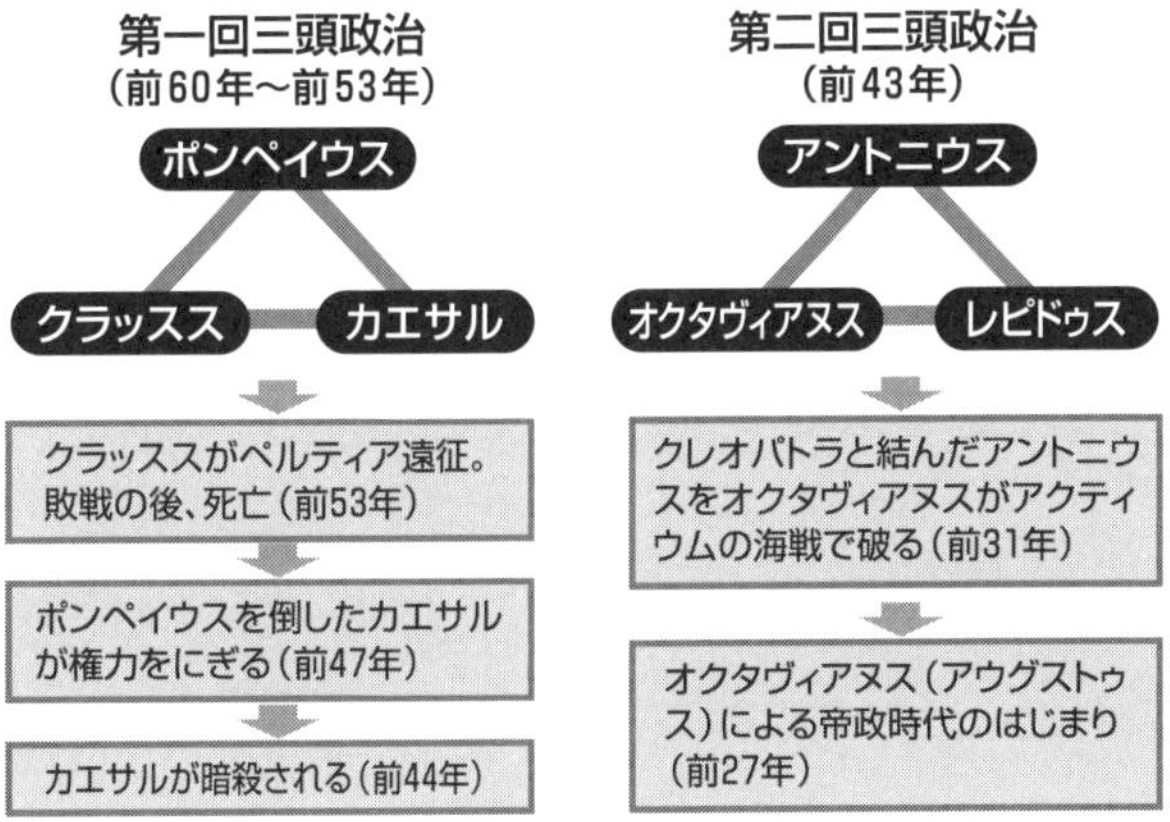
第一回三頭政治
（前60年～前53年）
ポンペイウス
クラッスス
カエサル
クラッススがペルティア遠征。敗戦の後、死亡（前53年）
ポンペイウスを倒したカエサルが権力をにぎる（前47年）
カエサルが暗殺される（前44年）
第二回三頭政治
（前43年）
アントニウス
オクタヴィアヌス
レピドゥス
クレオパトラと結んだアントニウスをオクタヴィアヌスがアクティウムの海戦で破る（前31年）
オクタヴィアヌス（アウグストゥス）による帝政時代のはじまり（前27年）

これは、カエサルが、元老院、そしてライバルのポンペイウスとの決戦を覚悟したときに発した言葉である。

紀元前60年、ローマでは、ポンペイウスとクラッススに、カエサルを加えた第1回三頭政治がスタートした。この3人のなかで、真っ先に大きなポイントをあげたのは、ポンペイウス。長年、ローマを悩ませてきた海賊を退治し、東方遠征でも立て続けに手柄をあげた。つづいて、カエサルがガリア（現在のフランス）遠征に成功し、ガリア総督の地位についた。

焦ったのは、クラッススである。2人に匹敵するような武勲をあげようと遠征するが、逆に命を落としてしまう。その結果、3人のうちの1人が欠けたことで、三頭政治のバランスは崩れた。

元老院が支持したのは、ポンペイウスのほうで、紀元前49年、元老院から、ガリア総督カエサルに対して召還命令が下る。それに従い、カエサルは軍を率いて、イタリアとの境であるルビコン川まで帰ってきた。

当時、その川を越えて本国の領土に入るには、軍隊を解散しなければならなかった。ところが、事態は窮迫している。丸腰で帰れば、カエサルは反対派に捕えられるか、命を奪われるにちがいない。そこで、カエサルは、元老院、ポンペイウスとの決戦を決意し、自らの軍を前にこう叫んだのだった。

「賽は投げられた」。そして、ルビコン川を越え、ローマへと軍を進めたカエサルは、翌年、ファルサロスの戦いでポンペイウスを撃破。ローマの実権を一手に握る第一歩を踏み出す。

ちなみに、「来た、見た、勝った」は、その翌年の紀元前47年、ポンペイウスを追ってエジプトに遠征したカエサルが、情勢の悪化した小アジアへ転戦。敵を破ったことを知らせる手紙に書いた言葉である。

どうしてカエサルは暗殺されたのか？

宿敵ポンペイウスを打ち破ったカエサルは、その後、転戦して敵対勢力を一掃した。紀元前45年には、終身の独裁官に任ぜられて、事実上の独裁政治を始めた。クレオパトラに心を奪われたのも、この時期のことである。

ところが、翌年の3月15日、元老院議会に招かれた劇場で、ブルータスら共和制政治をめざすグループに刺殺される。目をかけていたブルータスが加わっていたことで、カエサルは「ブルータス、お前もか」という言葉を叫んだと伝えられている。

その暗殺グループに、カエサルを慕っていたはずのブルータスがいたのは、カエサルへの尊敬と嫉妬が入り混じった感情からではなかったかと考えられている。

そもそも、ブルータスは、若い頃はポンペイウスに従い、カエサル軍と戦ったが、捕らえられる寸前、敵将のカエサルに助けられる。その後も、カエサルに目をかけられ、法務官の最高職を与えられていた。

もちろん、カエサルが、ブルータスを大切にしたのには理由があった。かつて、カエサルはブルータスの母親と不倫関係にあったのだ。カエサルは、ブルータスを自分の子供と思っていたふしもある。

一方、ブルータスも、目をかけてくれるカエサルを慕うようになる。ブルータスのカエサルへの思いは募り、一緒に戦いたいと思うようになるが、カエサルの指示は、いつも「ローマにいて後見してくれ」というもの。いつしかブルータスの心には、すきま風が吹くようになっていった。

そんなとき、ブルータスは、カエサルにうらみをいだく義兄弟のカッシラスに、カエサル暗殺を持ちかけられる。さらに、王政を倒した先祖の銅像に、「ブルータス、眠っているのか」と書かれ、ついにブルータスは、カエサル暗殺を決意したのだった。

彼のこの決断は、カエサルへの思いが、一転、憎しみに変わったとき、下されたとみられている。

「すべての道はローマに通ず」の「すべての道」って何本あった？

ローマ帝国の最盛期は、前述したように、五賢帝の時代である。領土は、地中海を取り囲み、共和政時代から整備されてきた「ローマ道」を通して、あらゆる財物がローマに運びこまれた。

「すべての道はローマに通ず」といわれたように、四方八方の領土から続く道が、すべてローマへと延びていたのだ。330年頃には、本数にして372本、全長8万5000キロにおよんでいた。

ローマは、軍を遠征させるとき、道路建設のための工作隊を伴っていた。勝利をおさめたあと、占領地とローマを結ぶ道路建設にあたらせるためだ。もちろん、新しい道路を建設するのは、軍隊が通行するためであり、各地の物資や税をローマへ運ぶためでもあった。

また、新道路によって交通が便利になることは、地域住民に対する懐柔策にもなった。

加えて、もうひとつの大きな理由は、兵士たちにつねに仕事を与えるためだった。当時のローマ政府は、辺境にある兵士たちが、謀反を企てることを恐れていた。そこで、兵士たちに仕事を与え、報酬を支払うことで、ローマ帝国への忠誠心をつなぎとめようとしたのだ。

こうしてつくられた舗装道路は、重戦車も通れる頑丈なものだった。この道路が、人と物、さらには文化が交流する大動脈の役割をはたすことになったのだ。

弾圧していたキリスト教を、ローマ帝国が国教にしたのはなぜ？

ローマ帝国は、皇帝を神と認めないキリスト教徒をたびたび迫害した。なかでも、ローマの大火をキリスト教徒による放火とした、ネロ帝の迫害がよく知られている。

しかし、ネロ帝による迫害から約２７０年後の３１３年、コンスタンティヌス帝は、キリスト教を公認する。さらに、392年には、テオドシウス帝が、キリスト教を国教とすることを決断した。

2人の皇帝の狙いは、巨大になりすぎた帝国運営を維持することにあった。公認されるまえ、キリスト教は迫害を受けながらも、ローマ帝国の上層階級や軍人の間に信者を増やしていた。各地に教会組織が張りめぐらされ、無視できない勢力に成長していたのだ。その一方で、迫害を恐れる信者たちは、郊外に地下墓地をつくって遺体を安置、そこへ夜になると集まったため、死体を食べているとか、乱交しているといった噂も広まっていた。

いずれにせよ、皇帝にとって、キリスト教徒は、さらに迫害するか、味方に取り込むか、どちらかを選択しなければならない大勢力となっていたのだ。

そこで、迫害する道を選んだのが、284年に皇帝に就任したディオクレティアヌス帝である。ディオクレティアヌス帝は、帝国東部の主だった聖職者のほとんどを処刑した。

それに対して、後継のコンスタンティヌス帝は、6人のライバルと帝位を争っていたとき、帝国の統一にキリスト教徒の団結力を利用しようとする。とくに、イタリア半島をめぐる戦いでは、十字をかたどった軍旗を掲げて戦って勝利した。

こうして、キリスト教徒の強い支持を背景にして帝国を再統一した彼は、キリスト教徒に信仰の自由を与えて公認したのだった。以後、キリスト教はさらに信者を増やし、ローマ帝国内の多数派となっていった。

その後、ギリシア古典に心酔したユリアヌス帝が、古い宗教の復興を企て、キリスト教徒を迫害するが失敗。かえってキリスト教はローマ帝国全土に広まった。

そして、自らも熱心なキリスト教徒だったテオドシウス帝が即位。キリスト教を国民の精神的な支柱にしようと、異教を禁止し、キリスト教を国教としたのである。

ローマ貴族の多くが子供に恵まれなかったというのは本当？

少子化は、現代の日本でも大きな問題だが、ローマ帝国も少子化に悩まされていたとみられる。

歴史家のギルフィランの調査によれば、ローマ領トロイ（ギリシア）では、19歳以上の青年101人のうち、結婚していたのは35人で、そのうち子持ちは約半分の17人。さらに、17人のうち10人は子供が1人しかいなかったというデータがある。

少子化傾向は、とくに皇帝や貴族の間ほど鮮明で、多くの貴族は子供がいないか、せいぜい1人いるくらいだったという。2世紀のアントニヌス帝が、養子制度を確立したのも、少子化が大きな問題化していたからだ。

ローマの人々が、それほど子供に恵まれなかったのは、彼らの体が鉛毒に汚染されていたからとみられている。

ローマ帝国は、すぐれた上水道施設をもっていたことで知られる。数十キロも離れた場所から、ローマなどの各都市へ上水を送る水道橋がつくられていた。

ところが、この水道橋から各家庭へ送られる配水管に、鉛管が使われていたため、飲み水にはつねに鉛が溶け出していた。また、鉛製の鍋や食器が使われていたこともあって、当時の人々は日常的に鉛を摂取していたと考えられるのだ。

日常的に鉛を摂取すると、脳、神経、腎臓、肝臓、血液、消化管、生殖器官など、体のさまざまな部分に悪影響があらわれる。古代ローマの貴族に子供が少なかったのも、鉛中毒の影響で生殖機能が低下していたせいだとみられるのである。

ゲルマン民族が故郷を離れて大移動したのは？

古代ヨーロッパには、地中海一帯のイタリア半島にラテン系（ローマ人）、その東側にはギリシア人、北方にはケルト系（ガリア人、ブリトン人、スコット人）などがいて、さらに北東の中部ヨーロッパに「ゲルマン民族」が住んでいた。

「ゲルマン民族」というのは、もともとバルト海沿岸一帯に住んでいた狩猟と牧畜を生活の基盤とする約50の部族集団を指す。このゲルマン民族が、4世紀後半から5世紀にかけて、南下を始めたことで、ヨーロッパの歴史は大きく動くことになる。いわゆる「ゲルマン民族の大移動」である。

そのきっかけとなったのは、中央アジア方面からフン族がヨーロッパへ侵入してきたことだった。

そもそも、騎馬民族のフン族が、中央アジアからヨーロッパへ向かったのは、気候変化のためと考えられている。

フン族は、多数の馬や家畜を育てるため、広大な草原を必要としたが、気候変化によって十分な牧草を確保できなくなり、移動を開始したとみられる。

そのさい、ゲルマン民族にとって不幸だったのは、フン族の戦闘能力がひじょうに高かったことである。

フン族は弓矢の扱いにたけていたうえ、戦術的にもすぐれていたのだ。

もっとも、このフン族がいったい何者であったかは、いまも謎となっている。一説には、一時期中国を脅かしていた匈奴の一派ではないかとみられている。

いずれにせよ、フン族は、現在のハンガリー地方を中心に、東はカスピ海、西はライン川沿い、北はデンマーク、南はギリシア周辺にまで勢力を伸ばしてきた。すると、ゲルマン民族は、このフン族の勢いに押される形で、移動せざるをえなくなった。

いったん西へ向い、その後、南下してローマ方面へと向かった。ローマ軍は、アドリアノーブル（現在のトルコのエディルネ）で応戦したが、支えきれず、ゲルマン民族の西ローマ侵入を許すことになった。

ちなみに、猛威をふるったフン族であったが、軍を率いていたアッティラ王が死去すると、急速に勢いを失い、歴史の表舞台から姿を消す。

しかし、このフン族のヨーロッパ侵入は、ゲルマン民族大移動の原因となり、地中海沿岸にラテン系民族、西ヨーロッパにゲルマン民族、東ヨーロッパにスラヴ民族が定住するという現在のヨーロッパ地図の祖型をつくることになった。

ゲルマン民族があっという間にローマ軍を倒せたのは?

ゲルマン民族の大移動のはじまりは、375年、フン族から逃れた20万人の西ゴート族がドナウ河を渡り、ローマ領に入り込んできたこととされる。

しかし、現実には、それ以前から、ローマ帝国の辺境では、兵士としてゲルマン民族を雇い入れていた。かつて精兵を誇ったローマ軍も、繁栄の中で弱体化が進み、ゲルマン系の傭兵に頼るようになっていたのだ。ローマに帰化したゲルマン傭兵から、皇帝側近へ出世した者もいたくらいだ。また、ゲルマン民族の移民希望者を受け入れていたので、ローマではかなりの程度で〝ゲルマン化〟が進行していた。

そのため、西ゴート族が、ドナウ河を渡ってローマ領内に入ってくると、当時の皇帝は、いったんは彼らの移住を認めている。

ところが、20万人という数に驚き、武力による追放へと方針転換する。そして、前述したように、現在のトルコの北西端で迎え討ったが、もはや弱体したローマ軍は、屈強なゲルマン兵士を追い返すことはできなかった。

しかも、ローマ軍の中には、部族はさまざまであっても、同じゲルマン系の兵士が少なくなかった。同胞との戦いでは、戦意が高まるはずもない。勝負はあっという間についてしまった。

西ゴート族は、ドナウ川南岸にしばらくとどまってから、ローマ領に侵入。ここでも、ローマ軍を破って、ガリア地方に定住するようになった。それをきっかけに、さらに多くのゲルマン系の人たちが、職や富を求めてローマ内に侵入してくるようになった。

ローマ帝国が東と西に分裂したいきさつは？

最盛期のローマ帝国は、東はメソポタミア、西はイベリア半島やブリテン島の一部、南はエジプト、北は現在のルーマニアやハンガリーまでの広範な領土を誇っていた。

しかし、この巨大な帝国も、3世紀あたりから衰退が目立ち始める。各地の軍隊が、それぞれ勝手に皇帝を擁立するようになったのである。だが、それらの皇帝の後ろ盾は軍隊であり、争いが絶えず、乱立した皇帝のほとんどは戦死や暗殺によって皇位を追われ、50年間に即位した皇帝は26人にものぼった。

そうした中、ローマ帝国の財政は、極度に悪化していく。肥大化した軍隊と官僚制の維持に莫大な費用がかかったのと、外敵との抗争が相次いだことが大きな要因だった。284年に皇位についたディオクレティアヌス帝は、広大なローマ帝国の統治と防衛を単独で行うのは困難と判断。軍の同僚を「共同正帝」に任命して、西方の統治に当たらせ、自らは東方の統治にあたった。

さらに、それぞれの正帝が副帝を任命して、ライン川とドナウ川の防衛線の維持をまかせた。結果として、帝国は、事実上4人の皇帝によって統治されることになった。

その後、324年に、コンスタンティヌス帝によって再統一されるが、彼の死後、ゲルマン民族の侵入などもあって帝国の解体は加速する。

キリスト教を公認したテオドシウス帝は、死に際して帝国を東西に分け、395年、長男と次男にそれぞれ分割して統治させることにした。

当初は、あくまでディオクレティアヌス帝の「四分割統治」をモデルにしたものだったが、以降、東西ローマが再統一されることはなかった。

東西に分かれたローマ帝国は、その後どうなった？

東西ローマへの分割後、東ローマ帝国は約1000年つづくが、西ローマ帝国は

100年ももたずに滅亡する。

西ローマ帝国は、「四分割統治」のディオクレティアヌス帝以降、皇帝所在地をローマからミラノ、ラヴェンナへと遷《うつ》した。

そして、懸命に帝国の維持をはかったが、命取りになったのは、ゲルマン人を傭兵として大量に採用したことだった。

当時、西ローマ帝国では徴兵制を導入していたが、地主たちは、生産力が落ちることを理由に、有能な小作人を兵隊に取られるのを嫌がった。無能な者を送り込むか、金で解決するようになる。

これによって軍の維持が難しくなり、政府は、多くのゲルマン人の傭兵を受け入れた。

しかし、ゲルマン傭兵の増加は、彼らの発言力を高める結果になった。さらに、侵入してきたゲルマン人が、帝国内のあちこちに部族単位で勝手に建国し、互いに戦い合うようになる。

やがて、ゲルマン傭兵たちは、ローマ帝国内に定住地を求めるようになった。それが拒否されると、476年、傭兵隊長オドアケルが、軍司令官を殺害。さらに西

■ローマ帝国の領土と東西分裂

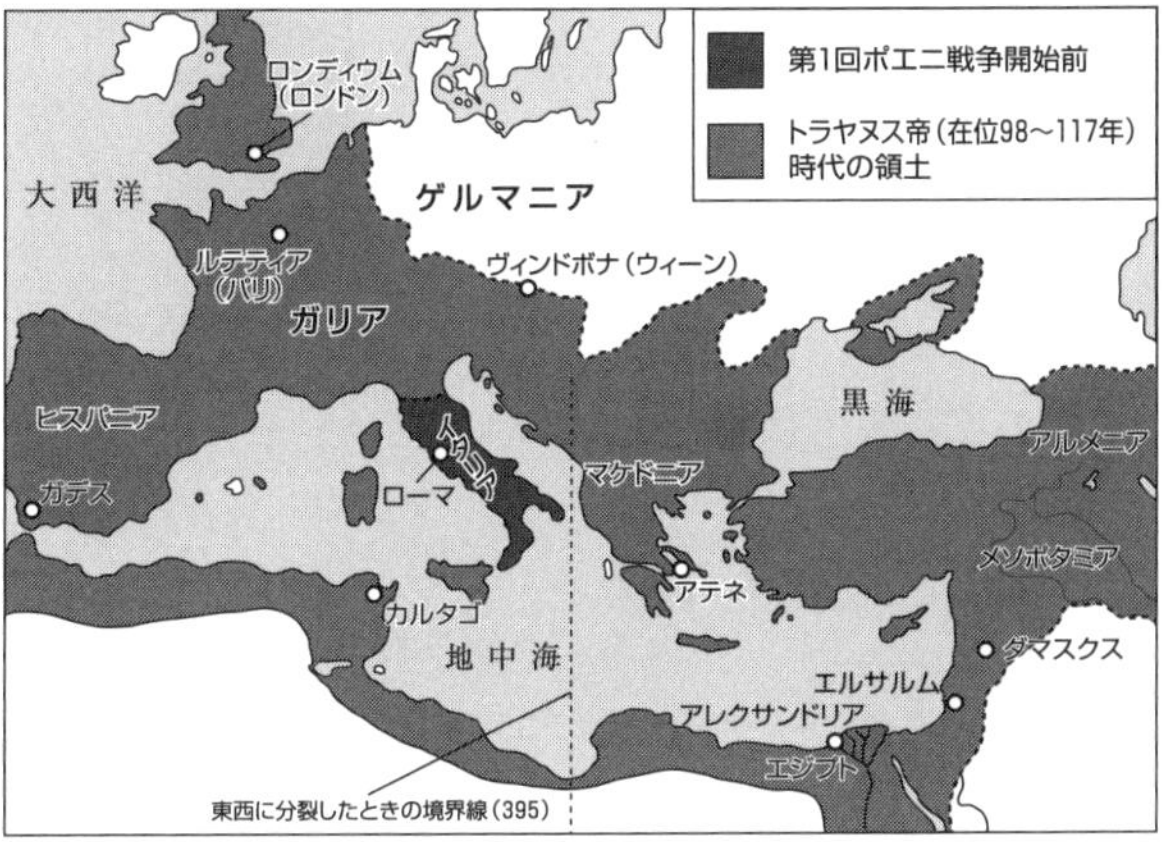

ローマ帝国皇帝を廃位にする。こうして、ゲルマン人が支配者となり、その地位を東ローマ皇帝に認めさせた。これによって、西ローマ帝国の皇位はとだえることとなった。

一方の東ローマ帝国は、首都をコンスタンティノープル（現在のイスタンブール）として、軍事力と経済力の整備に努める。これでゲルマン人の侵入を最小限に食い止めることができたと同時に、国力を盛り返した。

そして、527年に即位したユスティニアヌス帝は、ローマ帝国の再興をめざし、アフリカのヴァンダル王国やイタリアを支配していた東ゴート王国などを滅ぼす。こうして、いったんは旧ローマ帝国の大半を回復させることに成功した。

同帝が、西方へ軍を進めることができたのは、東方のササン朝ペルシアに対して、毎年多額の金を支払って、東方の平和を買っていたためだった。やがて、この費用が国家財政に重くのしかかってくる。

しかも、ユスティニアヌス帝の後継者たちは、いずれも統治能力に乏しく、愚かにも平和条約を破棄してササン朝と戦い、さらにイスラム帝国と戦って、領土を失っていく。

それでも、都市国家のようになってもなんとか生き延び続けるが、1453年、オスマン帝国に征服され、滅亡した。

3

農民だった劉邦がなぜ漢の高祖になれたの？

アジアI

This book collects a series of behind-the-scenes incidents from world history.

諸子百家の時代、本当は「何家」くらいあったのか？

中国で「諸子百家」と呼ばれる人々が活躍したのは、春秋時代末期から戦国時代にかけてのこと。

諸子百家の「諸子」とは「たくさんの先生」のことで、「百家」は「さまざまな学説」のこと。じっさいの学説は、100をゆうに超えて、189にのぼったと伝えられている。当時の中国で、学問がいかに盛んだったかがわかるだろう。

なぜ、争いが続く時代に学問が盛んになったかというと、当時の諸侯たちが、弱肉強食の激動の時代を生き残るには、能力のある人材を探しだし、組織を活性化しなければならないと、みていたからである。

そうして、諸子百家の思想は中国の政治に大きな影響を与えていく。なかでも、後年、東アジア世界全体に大きな影響を与えることになったのが、孔子を中心とする「儒家」の思想である。

また、秦の全国統一に大きな役割をはたした「法家」の存在もみのがせない。儒家が「徳」による統治を説いたのに対し、法家は「法」という強制力が国を発展させると主張した。

秦が戦国時代を終わらせたことからも、その時代に全盛だったのは、法家の思想だったといっていい。

このほか、無為自然を説いた「道家」、博愛を説いた「墨家」、戦術を説いた「兵家」、陰陽五行説の「陰陽家」などもこの時代に現れた。

まさに百家争鳴の時代だったのである。

広大な中国を、秦の始皇帝はなぜ統一できたのか？

中国のラストエンペラーは、清朝の溥儀《ふぎ》。では、ファーストエンペラーはというと、秦の始皇帝（前259～前210）だ。

始皇帝が登場するまえ、中国は「戦国時代」と呼ばれる群雄割拠の状態にあり、

■戦国時代

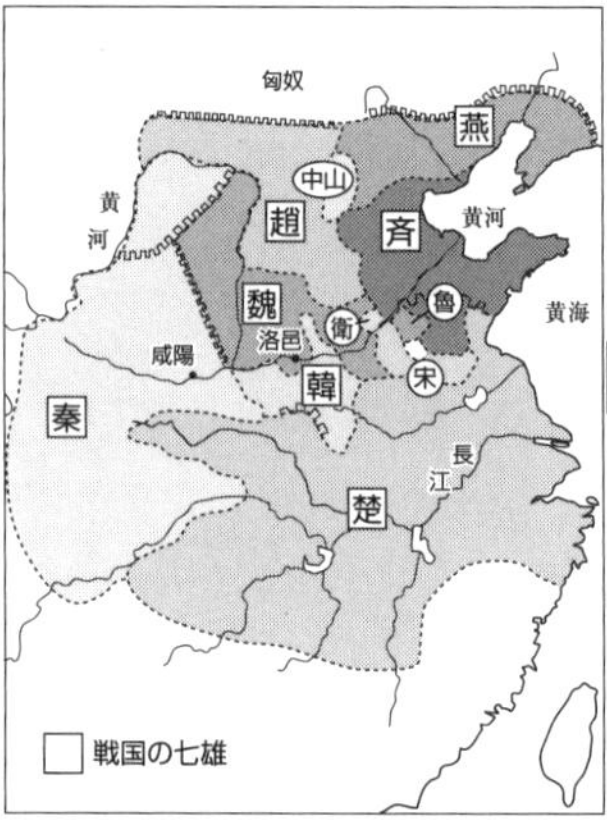

■秦の時代

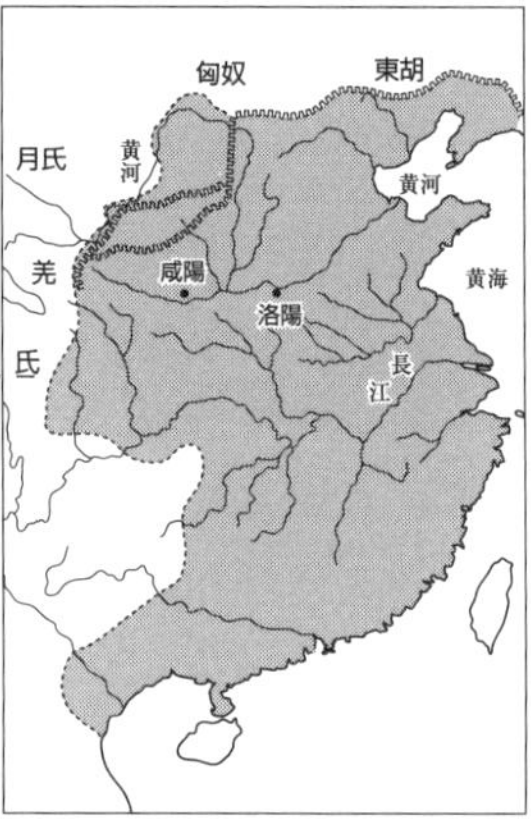

「王」と名のる諸侯たちが覇権を争っていた。やがて、それらの国々は、燕、斉、楚、韓、趙、魏、秦の七雄に絞られていく。

このなかで、他の6国を滅ぼして、中国史上はじめて全国を統一したのが秦の政王。全国統一をはたした秦は、それ以前の国とは比べものにならないくらい大きな領土を支配することになった。そうなると、「王」という称号ではものたりない。

そこで政王は、「王」の上のランクの称号として「皇帝」と名のるようになった。その初代だから「始皇帝」というわけである。

それにしても、それまで誰も成しとげられなかった全国統一を、なぜ始皇帝は実現できたのだろうか？

その理由はいくつかあげられるが、まず秦が地理的に辺境の地にあったことが、よい結果をもたらしたといえるだろう。秦が興ったのは、現在の甘粛省にあたる辺境の地で、七雄のうちでもっとも西方にあり、さまざまな面で他に遅れをとっていた。

しかし、それは別の見方をすれば、開発の余地が多いということである。

中国では、春秋時代の終わりから戦国のはじめにかけて鉄器が普及し、農耕や灌漑工事の技術が進歩していたが、辺境の遅れた国だった秦は、そのぶん新しい技術を効率よく取り入れることができた。大量の鉄製の工具を用いて、大規模な治水灌漑事業をすすめ、農業生産力を向上させて財力をつけたのだ。

また、早くから法家を起用し、法という強制力で国をまとめあげる体制を整えたことも、弱肉強食の時代では有利に働いた。

商鞅《しょうおう》（～前338）や、李斯《りし》（～前210）が徹底した法治主義を実施するなか、秦は中央集権体制をかためたため、生産力・軍事力で他国を圧倒するようになった。

それが天下統一への道をひらいたのである。

どうして兵馬俑は実物大につくられている？

中国史上はじめて皇帝になった始皇帝は、土木事業を好み、万里の長城、阿房宮《あぼうきゅう》、始皇帝陵といった巨大建築物をいくつも造っている。始皇帝に「暴君」というイメージがあるのも、そうした土木工事で民衆のうらみを買ったことが一因する。

とりわけ、始皇帝が生前みずから造らせた陵墓は、墓としては破格のスケールだ。およそ70万人もの作業員が送り込まれて造られたという巨大な陵墓である。

その陵墓の近くにあり、研究者の度肝を抜いたのが、１９７４年に発掘された「兵馬俑坑《へいばようこう》」だ。

始皇帝陵をとり巻くように配置されている兵馬俑坑の内部には、ほぼ等身大の兵士や馬の「兵馬俑」（「俑」は死者を埋葬するときに添えられる副葬品）が多数並んでいる。その数なんと８０００体。

しかも、研究者を驚かせたのは、それらの人形が等身大であるうえ、どれひとつとして同じ顔をしていないことだった。表情がちがうだけでなく、出身部族によって髪型もちがう。秦の軍隊がさまざまな民族の混成部隊であったことが、これで明らかになった。

それにしても、一体一体ちがう人形を大量に作るには、膨大な時間と労力が必要だったはず。いったい、何のために作られたのか？

従来の説では、あの世へ旅立つ始皇帝を守るための軍隊と考えられていた。

しかし、近年になって、軍隊のほかに、宮殿の実物大のレプリカや文官、芸人などの人形が発掘されると、これらは始皇帝の生前の生活をそっくりそのままあの世で再現するための巨大セットだったのではないか、と考えられるようになってきている。

とはいえ、兵馬俑坑については、まだわからないことが多く、現在も調査・研究が続いている。なにもかもが型破りで、謎だらけの遺跡なのだ。

万里の長城は、どうやって築かれたのか？

全長2400キロメートルにもおよぶ万里の長城は、人間が造った建築物のうちでもっとも長大なものである。

この万里の長城は、中国史とともに〝成長〟してきた建築物といえる。

万里の長城といえば、秦の始皇帝が築いたものが有名だが、すべての長城が彼の代に築かれたわけではない。それ以前の戦国時代、燕、趙といった北方の国が個別に築いていた長城を、始皇帝がつなぎ合わせて拡張したのである。

始皇帝のねらいは、匈奴をはじめとする北方の遊牧民族の侵入を防ぎ、彼らに対して国境を主張することだった。

ただし、彼の時代の長城は、石を積んだり、土をつき固めたりしただけのごく簡単なもので、今日見られるような立派なものではなかった。

馬や人が乗り越えられなければよいという考えのもと、高さもそれほどではなかったとみられる。

万里の長城は、秦のあとの漢代に領土が広がると、さらに延長されて敦煌《とんこう》の玉門関まで達し、6世紀になると契丹《きったん》、突厥《とっけつ》の侵入にそなえて、あらたに南に築かれた。それが、現在みられる線である。

その後、唐、宋、元の時代にはとくに強化されることはなかったが、明代に行われた大修築で、ようやく現在みるような堅固な姿になった。

現在、観光写真などで目にする長城は、おおむねこの時代に改築されたものだ。つまり、万里の長城は、紀元前3世紀から16世紀まで、約1900年という途方もない長い年月をかけて、築きあげられたといえる。

昔、中国の人達は、

「何語」で話してた？


ご存じのように、広い中国では、北京語、広東語、蘇州語、福建語、客家《ハッカ》語などの方言が話されている。

日本の方言とちがうのは、中国の方言は、たがいに何を話しているのかわからないことがあるほど、大きく異なっていることだ。たとえば、北京語と広東語には、英語とドイツ語ほどのちがいがあるとさえいわれる。

もっとも、いまは教育やテレビが普及しているので、標準語なら中国どこへ行っても通じる。

中国の標準語は、北京語をもとにして作られた言葉で、中国では「普通語」と呼ばれる。

では、遠い昔はどうだったのだろうか。いまから二千数百年も前の戦国時代、中国にはまだ天下を統一する国は現れておらず、いくつもの国が並び立っていた。

歴史書は、その時代に、孔子をはじめとする多くの諸子百家が各国を遊説して歩いたと伝えている。

統一国家すらないそんな大昔に、共通の言葉があったとはとうてい考えられない。

考えてみれば、いまだに方言が通じないほど広大な国で、はるか昔の人々がどうやって意思を通じ合っていたのかは、謎なのである。

農民だった劉邦がなぜ漢の高祖になれたの？

秦のあとに漢王朝をうちたてた劉邦は、農民から天下人へと上りつめた英雄だ。もちろん劉邦は、ただ運だけで天下人になったわけではない。

彼は、まず任侠の徒としてならしていた若い頃、もちまえの度量の広さで人望を集め、「陳勝・呉広の乱」（前２０９）にはじまる秦末の混乱のなかで、反乱軍のリーダーになった。

各地で起こった反乱軍は、やがて項羽と劉邦の二軍に絞られていき、最終的に勝ち抜いたのが劉邦だった。

前２０２年、漢の初代皇帝になった劉邦は、秦の厳罰主義をあらため、租税や労役を減らす方針をとった。秦が法律にもとづく厳しい政治をしたあげく、反発をまねいて滅亡したことを反面教師にしたのである。

おかげで、農民は十分な耕作時間をとれるようになり、生活が安定し、経済の繁栄や人口増加につながった。

また、劉邦は秦の「郡県制」をやめて「郡国制」をはじめた。郡国制とは、中央から役人を派遣して中央集権的に治める「郡県制」と、功臣や一族らに分国を与えて好きに治めさせる「封建制」を併用した現実に即した制度だった。

人材の登用がうまいとされた劉邦だが、彼の人望だけで人々が集まってきたわけではない。彼に仕えた人間は、「この親分ならほうびをたっぷりはずんでくれるだろう」と期待して戦ってきた。だから、皇帝になった劉邦は、分国を与えるなどの十分な恩賞で、彼らの期待にこたえたのである。

「背水の陣」が成功した本当の理由とは?

一歩もあとに引けない状況に立たされたときに使われる「背水の陣」という言葉は、『史記』にある有名なエピソードから生まれた。

劉邦率いる漢が、天下統一をめざしていたときのこと。彼のもとには、軍事については国内に並ぶ者がいないことから「国士無双」と称えられた武将がいた。韓信である。

韓信は、劉邦に命じられて魏などの国を次々と破り、さらに趙と戦うことになったが、数のうえでたいへんな劣勢に立たされた。敵軍20万に対し、韓信の軍は1万2000たらず。まともに戦っては勝ち目がない。

そのとき、韓信は、2000の兵を別動隊として選んで、赤い旗を持たせ、「明日の戦いでわが軍はわざと敗走してみせる。敵は陣地をあけて追撃に出てくるはずだ。そのすきをついて敵陣を取り、赤旗をかかげよ」と命じた。そして、自分は残りの兵1万とともに川を背にして陣をしいた。

これを見た趙軍は、「韓信は兵法の初歩すら知らないのか」と大笑いした。常識的に考えれば、川や絶壁を背にして陣をしくと、劣勢になったときに逃げ場がない。だから、絶対にとってはならない陣形だとされていたのだ。

翌日、趙軍と戦い始めた漢軍は、しばしの戦闘のあと、予定どおり負けたふりをして川岸の陣地に引き返した。すると案の定、趙軍が勝利を確信して追撃してきた。

だが、「あとがない」という立場の漢軍は必死で戦った。そして趙軍が手こずっているあいだに、韓信の別動隊がからっぽの敵陣を奪い、赤旗をかかげた。趙軍はたちまち混乱におちいり、韓信の本隊と別動隊に挟み撃ちにされてしまう。

追い込まれたときに、人間が真の強さを発揮することを利用した韓信の作戦勝ちだった。

中国を脅かした匈奴はなぜ滅びたのか？

天下統一をはたした秦やそれに続く漢の時代、中国を悩ませたのが、遊牧騎馬民族・匈奴である。

匈奴は、東アジア最初の遊牧国家を建設した民族で、中国の歴史書にはじめて姿を現すのは、前3世紀半ば、戦国時代のこと。彼らは、中国北辺の趙、燕、秦といった国をおびやかすようになった。

さらに、秦末の混乱の時代、匈奴には冒頓単于《ぼくとつぜんう》（「単于」は君主の称号）というすぐれた君主が出て強大化し、中国の東北地方に進出した。悪いときに悪い相手が現れたものである。

前200年、漢の高祖劉邦は、冒頓単于と戦うも大敗してしまい、毎年匈奴に多額の物品を贈るという屈辱的な関係をしいられることになった。

両者の力関係は、第7代武帝の登場で逆転する。武帝はそれまでの弱腰外交をやめ、将軍衛青とその甥の霍去病《かくきょへい》に命じて、匈奴を繰り返し攻撃。ゴビ砂漠の北まで追い払った。

弱体化した匈奴は、前56年頃に東西に分裂し、東匈奴は前51年に漢に投降して主従関係を結んだ。いっぽう、西匈奴はキルギス草原に移動したが、漢の西域都護の攻撃をうけて、前36年に滅亡する。

では、残った東匈奴は、その後どうなったのだろうか。

王莽《おうもう》によって前漢が倒され、中国が混乱におちいると、東匈奴はふたたび勢力を盛り返すが、48年、内紛によって南北に分裂。このうち南匈奴は漢に移住・定着したが、漢に反抗した北匈奴は、南匈奴や鮮卑《せんぴ》族に圧迫されて西に流れ、やがて衰退して滅んだ。

こうして、中国をおびやかした匈奴国家は実質的に消滅した。遊牧騎馬民族は、すぐれた統治者がいるときは一気に大勢力となるが、統治者を失うと、小部族に分裂して散り散りになる傾向がある。のちのモンゴル民族もそうだった。

ちなみに、ゲルマン人の大移動をひき起こしたフン族は、西に流れていった北匈奴の子孫が、ヨーロッパに移動したものと考えられている。

つまり武帝以降の中国の奮闘が匈奴を移動させ、ローマ帝国滅亡の引き金をひいたともいえるわけである。

「三国志」の時代の激戦で、人口はどのくらい減った？

後漢末から、魏、呉、蜀が分立して晋が統一をはたすまでの三国時代は、大勢のヒーローが登場した時代である。蜀の劉備、魏の曹操、呉の孫権のほか、諸葛孔明、関羽、張飛らの活躍は、『三国志』でおなじみだろう。

彼らが登場した後漢末は、外戚と宦官の勢力が大きくなり、大土地所有が進行し

■三国時代

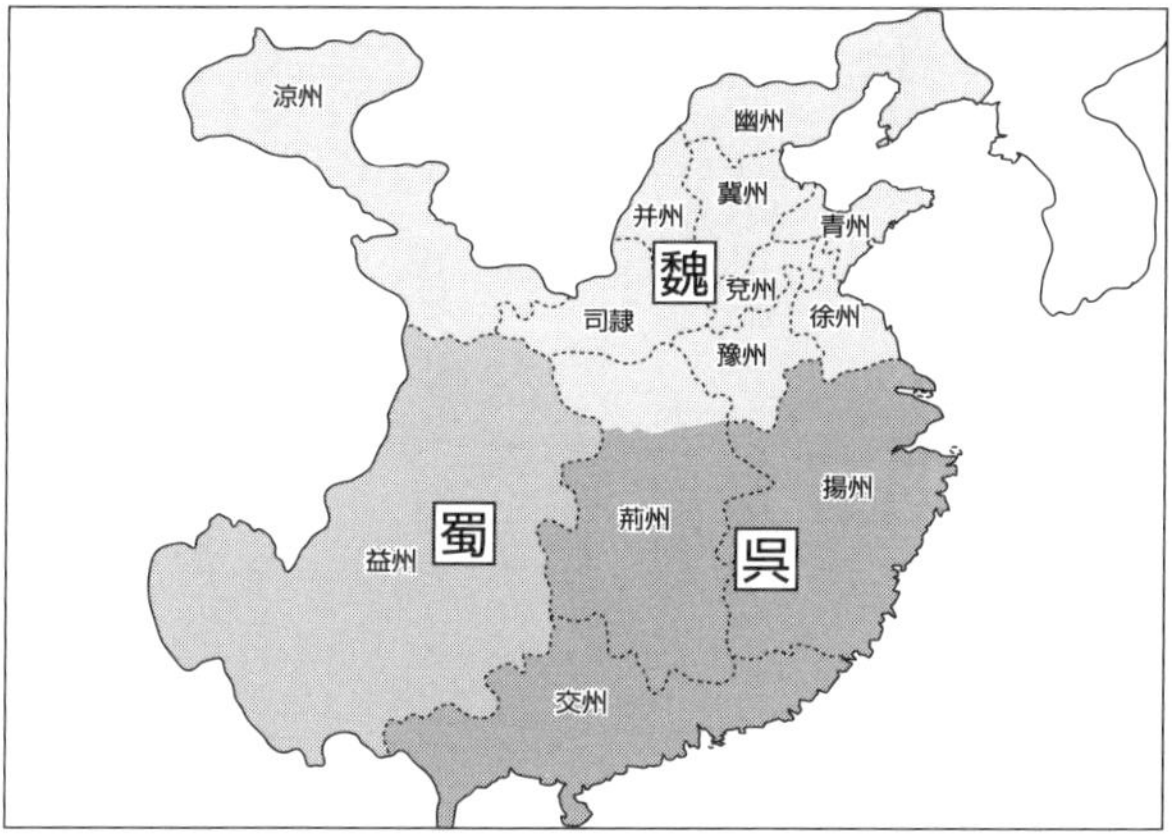

て、農民の生活がひじょうに苦しくなった時代だった。そして、１８４年に「黄《こう》巾《きん》の乱」と呼ばれる農民反乱が起きると、各地で立て続けに反乱が起こるようになり、地方の治安はメチャクチャになった。

だが、すでに末期症状を呈していた漢王朝には、その反乱を鎮圧するだけの力はなく、兵力をもつ豪族に官位を与えてこの事態を乗り切るしかなかった。

そのなかから、頭角を現したのが魏、呉、蜀の３国である。とくに、華北を支配した魏は３国のうち最大最強で、曹操は天下統一まであと少しのところにいた。

ところが、208年の「赤壁の戦い」で、蜀の劉備と呉の孫権の連合軍に、曹操は大敗を喫する。

もし、曹操がこの戦いに勝っていたら、まちがいなく天下を手にしていただろうが、歴史はそうならなかった。この敗北で曹操は中国統一をあきらめ、中国の分裂は決定的になった。

220年、曹操が没して息子の曹丕《そうひ》が跡を継ぐと、細々とつづいていた後漢の皇帝から帝位を譲られ、魏王朝が成立する。

だが、劉備や孫権はそれを認めず、翌年、劉備は蜀の皇帝に、229年には孫権は呉の皇帝に即位した。以後、三つ巴の戦いが続くが、一国が抜きん出ると、他の二国がそれを阻止する格好になったため、結局この中から天下をとる者は現れなかった。

戦乱が続くなか、飢饉による餓死者があいつぎ、後漢末には約5000万人だった人口が、この頃になると、魏・呉・蜀あわせても500万人までに激減していたという説もある。

三国時代とは、それくらい厳しい時代だったのである。

シルクロードって一言でいってどんな道？

「シルクロード」（絹の道）は、その名の通り、絹の交易によって発展したユーラシア大陸の交易路をいう。

はじめて「シルクロード」という言葉を用いたのは、19世紀ドイツの地理学者リヒトホーフェン。彼は、古代中国とギリシア・ローマ文化圏との交易で、絹が大きな役割をはたしたことに着目し、その交易路を「シルクロード」と命名した。

具体的には、長安を起点にして敦煌で二手にわかれ、パミール高原、イランを経て古代シリアのアンティオキアに達する道をさす。

だが、のちに東西交易史の研究が進むと、シルクロードという言葉の意味はさらにふくらみ、ユーラシア大陸の東西を結ぶすべての主要交易路をさすようになった。

これによって、シルクロードは「東海道」とか、「国道○号線」のような1本の道をさす言葉ではなくなる。では、この意味でのシルクロードはどんな道なのか。

これは、三つのルートに大きく分けられる。ひとつめは、すでに紹介した中央アジアの乾燥地帯を走るルート。このルートは、オアシスとオアシスを結ぶ形でできあがったため「オアシスルート」と呼ばれる。

オアシスでは、水の量や畑の面積に限りがあるため、人々は周辺の農耕民や遊牧民から、必需品を手に入れなければならなかった。そこで、オアシスで暮らす人々は、織物、陶器、金属製品などの手工業を発展させ、他の地域の人々と必要なものを交換するようになった。それが発展して、おおぜいの人々が行き交う交易路になったのである。

二つめは、オアシス路より北の草原地帯を走る「ステップルート」。東はモンゴル高原から西はポーランド、ハンガリーにいたる道で、主に騎馬民族が利用していた。

最後は、紅海またはペルシア湾からインド洋、東南アジアを経て中国華南にいたる「南海ルート」。中世以降、造船技術が進歩すると、多量の物資を運べる船での交易が盛んになり、この南海ルートが東西交易の主流になった。

それとともに、陸の交易路は衰退に向かい、にぎやかだったオアシスの都市や街は、次第に消えていくことになった。

官吏登用の試験に なぜ「科挙」が採用された？

「科挙」は、中国で1300年ものあいだ行われていた官吏登用試験で、読んで字のごとく、「学科試験によって（優秀な人材を）選挙」する制度である。

この科挙を、はじめて実施したのは、隋の初代皇帝・文帝（541〜604）だった。

6世紀に、試験で役人を登用したのは、世界的に見ても画期的なことだったといえる。

隋のまえの官吏登用方法をふりかえると、世襲か、それに近い仕組みで、豪族が主要な官職を独占していた。

そのような状況をただすために、隋の文帝は、家柄ではなく、実力で官僚を登用する科挙を始めた。その結果、いきすぎた貴族政治があらためられ、皇帝の力が強まった。

また、隋は北部と南部を統一して急に領土を広げたため、多くの人材を必要としていた。そのためにも、才能のある者を広く募集できる科挙は有効な官僚選抜法だったのだ。

『西遊記』のモデルになった話は、あったのか？

『西遊記』とは、ご承知のように、三蔵法師玄奘《げんじょう》が、サルの孫悟空、ブタの猪八戒、カッパの沙悟浄とともに、仏典を求めて天竺《てんじく》（インド）へと旅する話。アジアが世界に誇る冒険ファンタジーといっていい。

もっとも、ファンタジーはファンタジーでも、『西遊記』は実話をもとにして書かれている。

通常『西遊記』として知られている話は、16世紀の明代に成立したものだが、主人公の玄奘は、それより900年ほど前の唐代の実在の人物だ。

玄奘は、若い頃からひじょうに徳の高い僧侶として知られていたが、しだいに中国にいては仏教の真髄を知ることができないと思うようになり、仏教の本場インドへと旅立った。

都の長安を出たのは629年のこと。シルクロードをひたすら西にむかい、630年の冬ごろ、アフガニスタンから西北インドに入った。645年に帰国し、17年にもわたった海外留学の経験を『大唐西域記』という書物にまとめる。それが、小説『西遊記』の下敷きになった。

ただし、『西遊記』が史実と決定的に異なっているのは、むろん玄奘には、孫悟空、猪八戒、沙悟浄のようなお供の者はいなかったということである。玄奘はたった1人、馬1頭だけを連れて旅を始めたのであり、妖怪はもちろん、人間の弟子すら1人も連れていなかった。

玄奘が旅に出たのは、唐が誕生したばかりの混乱期で、外国への旅行は禁止されていた。

そのため、玄奘は渡航許可をもらえないまま、こっそりと国を出なければならなかったのである。つまり、お供の者を連れて歩ける状況ではなかったのだ。

栄華を極めた唐が滅んだのはどうして？

唐の玄宗皇帝は、一国の栄華と衰退を一代でみることになった皇帝だ。彼の治世の前半は、「開元の治」と呼ばれる唐の全盛期にあたり、都の長安はかつてないにぎわいをみせた。

しかし、治世の後半になると、玄宗は政治への意欲を失い、楊貴妃との愛情生活におぼれて、気に入った人間ばかりを登用するようになった。

そんななか、玄宗の信任をたくみに得て出世した安禄山らが、楊貴妃の一族の楊国忠と対立して、挙兵（安史の乱）におよぶ。

9年続いたこの反乱は、ウイグルの援助などもあって鎮圧されたが、唐王朝の力はすっかり衰えてしまった。

唐の滅亡は、それから1世紀半ほど経た907年のことだが、滅亡の原因は、この時期にはじまった政治の腐敗と経済の混乱にあったといえる。

とくに決定的だった失政は、塩の専売を始めたことだった。

安史の乱で農民が農作業を続けられなくなると、唐の税制の均田制・租庸調制は完全に崩れてしまった。そこで、朝廷は塩の自由な販売を禁止して政府専売として重税を課し、国家財政を補うようになった。現代風に直せば、キロ１０００円だったものに、その10倍の税を課し1万１０００円にするほどの酷税を課したのだった。

すると、生活に困窮した庶民は、密売人から塩を買うようになる。もちろん政府は取り締まりを強化するが、密売人は貧しい農民たちに支持されることで活動を続けた。

８７５年、政府の取り締まりに追い詰められた密売人たちが、大規模な反乱を起こす。

黄巣という人物を代表格としたので、これを「黄巣の乱」（～８８４）と呼ぶ。この反乱で唐はほぼ崩壊し、黄巣が一時期、皇帝の座につく。

そして９０７年、黄巣の軍から寝返った朱全忠に唐は滅ぼされ、３００年の歴史に終止符を打った。

イスラム教があっという間に広まった経緯は？

イスラムの預言者ムハンマドは、572年頃、アラビア半島の西部に位置するメッカに生まれた。メッカは当時すでに聖地として知られ、カーバ神殿を多くの巡礼者が訪れていた。ただし、当時のアラビアでは、偶像崇拝や多神教があたり前だったため、神殿の内部にはさまざまな神の彫像がおかれ、アッラーはその中の主神という位置づけだった。

それを、アッラーを唯一絶対神とする一神教にしたのが、ムハンマドだ。

ムハンマドは、メッカの名門の家に生まれたのだが、6歳で孤児になり、長じると商人として活動するようになった。そこまでは、奇跡もなければ伝説もない、ごく普通の人生である。

ところが、610年、彼は突然神の啓示を受け、自分は「預言者」（神の言葉を預かり、民に伝える人）だという自覚をもつようになる。

■イスラム帝国

ムハンマドは、６１３年頃からメッカで布教活動を始めるが、偶像崇拝を否定したことや、すべての人は平等であると説いたことが、メッカの有力者の反感を買ってしまった。

メッカでの布教に限界を感じたムハンマドは、６２２年、メッカを見限ってメディナに移住する。

この移住を「聖遷」といい、ムハンマドがメディナに到着した西暦６２２年7月16日は、イスラム暦における紀元元年1月1日となった。

メディナで勢力を伸ばしたムハンマドは、６３０年、ついにメッカを征服。６３２年に没するまでに、アラビア半島をイスラム教のもとに統一した。

ムハンマドの死後も、ムハンマドの後継者が教団を率い、もっぱら征服による領土拡大を行った。これを聖戦という。

7世紀半ばから8世紀末の100年あまりのあいだに、イスラム帝国は、北アフリカ、イベリア半島、西アジア、中央アジアまで支配するようになった。イスラム世界の基礎は、この1世紀でほぼ固まったといえる。

4

中世の都市が城壁に囲まれていたのはなぜ？

中世

This book collects a series of
behind-the-scenes incidents
from world history.

ローマ教皇がキリスト教のトップに立ったのはいつから？

キリスト教には、大きく分けて、カトリック、プロテスタント、東方正教会の三つがある。このうち、上下関係のはっきりしたピラミッド型の巨大組織をもつのが、カトリック教会（ローマ・カトリック教会）で、ローマ教皇は、そのヒエラルキーの頂点に立つ。バチカン市国の元首をつとめるのも、ローマ教皇である。

ローマ教皇が、全カトリック教会のトップに立つようになったのは、ローマ教会がイエスの十二使徒の1人・ペテロと縁のある教会だったためといえる。

ペテロは十二使徒のリーダー格だった人物で、新約聖書によると、イエスは彼に「あなたはペテロ（ギリシア語で「岩」の意）。私はこの岩の上に私の教会を建てる」（マタイによる福音書）と語ったという。そこから、ペテロは教会での特別な地位をイエスに認められた人物、と考えられるようになった。

そのペテロが殉教したのは、ほかでもないローマ。聖書の外典によると、ペテロはローマ司教として、ネロ帝に迫害されて殉教したという。このことと、イエスの残した言葉が結びつき、3世紀以降、「ローマ司教こそペテロの後継者であり、教会全体の長として重んじられるべき」と主張されるようになった。

もちろん、歴代ローマ司教たちがいくらそう主張しても、その権威が他の司教たちに認められなければ「教皇」とはなりえない。

しかし、ローマにはローマ帝国の首都としての歴史があった。それはローマ司教の権威を他のエリアの司教に認めさせるのに、たいへん有利な条件である。

4世紀末、ローマ帝国は東西に分裂し、ローマを首都とする西ローマ帝国は476年に滅亡する。その過程で、ローマ司教レオ1世（在440〜461）が、民族大移動期にアッチラのローマ侵入を阻止、グレゴリウス1世（在590〜604）がゲルマン人への布教に活躍すると、他の地域の各教会もローマ教会の権威を認めざるをえなくなる。

こうして、ローマ教会の地位が確立し、ローマの総大司教は「教皇」という特別な存在として認められるようになった。

海賊は本当にバイキング料理を食べていたのか？

食べ放題のことを「バイキング料理」と呼んで通じるのは、じつは日本だけ。では、いったいどういう経緯で、こういう料理名が生まれたのだろうか。

歴史をさかのぼると、バイキング料理のルーツは、やはり、入り江の民「バイキング」にあることがわかる。

のちに「海賊」の代名詞にもなるバイキングは、もともとは、スカンジナビア半島やデンマーク地方で狩猟・農耕・漁業を営んでいたが、8世紀頃、人口が増えて耕地が足りなくなると、ヨーロッパの海岸部に移住し始めた。

彼らは、とがった舳先《へさき》に龍や蛇の飾りをつけた船を操り、各地を荒らし回って、食料を奪ったり、土地を占領したりした。

バイキングたちは、どこかの村を占領すると、祝いの席に奪った食料をずらりと並べ、それらを好き好きに取って食べた。今でいうところの食べ放題を楽しんだわけだ。

とりわけ特徴的だったのが、薄く切ったパンにバターを塗り、多様な具を選んでのせる食習慣。そうした食事スタイルは、今でも北欧諸国で見られ、「スメルガスボード」と呼ばれる。

「スメルガス」はバター付パン、「ボード」はテーブルを意味するスウェーデン語だ。

日本では、それと同様の食べ放題スタイルが、20世紀半ばから「バイキング料理」と呼ばれるようになった。バイキング料理と名づけたのは、帝国ホテルのレストランだ。

当時上映されていた、カーク・ダグラス主演の海賊映画『バイキング』の中で、飲み放題・食べ放題のシーンが豪快に描かれていたことが、このネーミングのヒントになったという。

それが全国に広まって、その後どのお店でも「バイキング」で通じるようなった。ただし、近年、この呼び名はいささか廃れ気味で、ビュッフェスタイルと呼ばれることが増えている。

西ヨーロッパがイタリア、ドイツ、フランスに分かれた経緯は？

イタリア、ドイツ、フランスの三国は、西ヨーロッパの歴史にとりわけ大きな足跡を残した国。イタリアにはローマ教皇、ドイツには神聖ローマ皇帝がおり、フランスは十字軍を主導した実績がある。この三者の緊張関係を中心に、西ヨーロッパ史はつづられてきたといっていい。

歴史をふりかえると、この三国は、もとはフランク王国というひとつの国だった。「フランス」という国名や「フランクフルト」という地名はここからきている。

フランク王国は、ゲルマン人の一部族のフランク族が481年に建てた国で、始祖クローヴィスがローマ・カトリックに改宗して、ローマ教会との関係を深め、8世紀後半のカール大帝の時代に、西ヨーロッパのゲルマン諸部族をほぼ統合した。

そして、カール大帝は、「西ローマ帝国」の後継者として、ローマ教皇から王冠をさずかることになる。この「カールの戴冠」は、歴史上ひじょうに重要な出来事

■ヴェルダン条約によるフランク王国の分裂

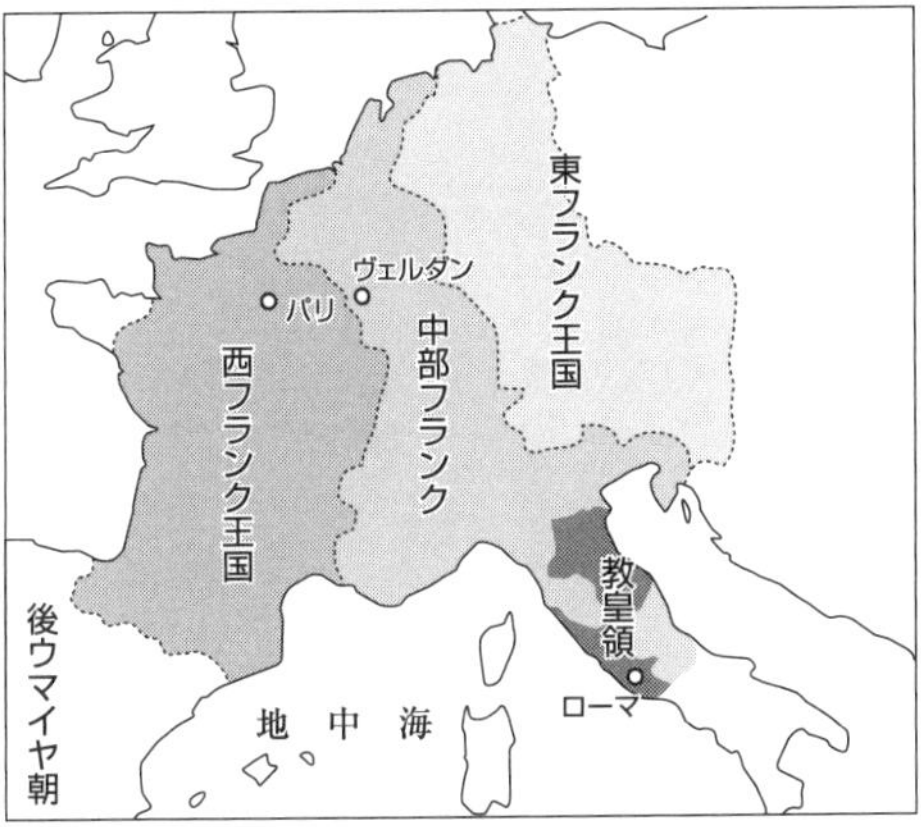

だ。

というのも、西ローマ帝国が滅亡（476年）してからというもの、カトリックは皇帝という保護者を失って不安定な状態にあったが、カールの戴冠により、皇帝がキリスト教圏を守るという体制が復活したのだ。これはカールの戴冠をもって、「キリスト教」「ローマ文化」「ゲルマン社会」という三要素が溶融し、安定化したことを意味する。

しかし、フランク王国は、カールの孫の代になって相続争いが起こり、9世紀半ば、三つに分かれた。

このときできたのが、西フランク、中フランク、東フランクの三国。これが現在のフランス、イタリア、ドイツのおおまかな原型である。

なお、このうち「キリスト教を保護するローマ帝国」として続いていくことになったのは、神聖ローマ帝国と称されたドイツだった。神聖ローマ帝国の歴史は、962年のオットー1世の戴冠から、ナポレオンに解体される1806年まで続く。

十字軍はいったい何のために遠征した？

イスラエルの首都エルサレムは、三つの宗教の共通の聖地である。ユダヤ教にとっては、「嘆きの壁」がある場所であり、キリスト教にとっては、イエスの死と復活の場所であり、イスラム教にとっては、ムハンマドが昇天した場所である。

この聖地エルサレムをめぐって、中世に戦われたのが「十字軍戦争」である。

十字軍は、イスラムの支配下にあったエルサレムを奪回するために編成されたヨーロッパ連合軍で、11世紀末から13世紀後半にかけて、7回の遠征が行われた。

それにしても、この時期、キリスト教国が突然、聖地奪回戦を始めたのはなぜだ

■十字軍の遠征路

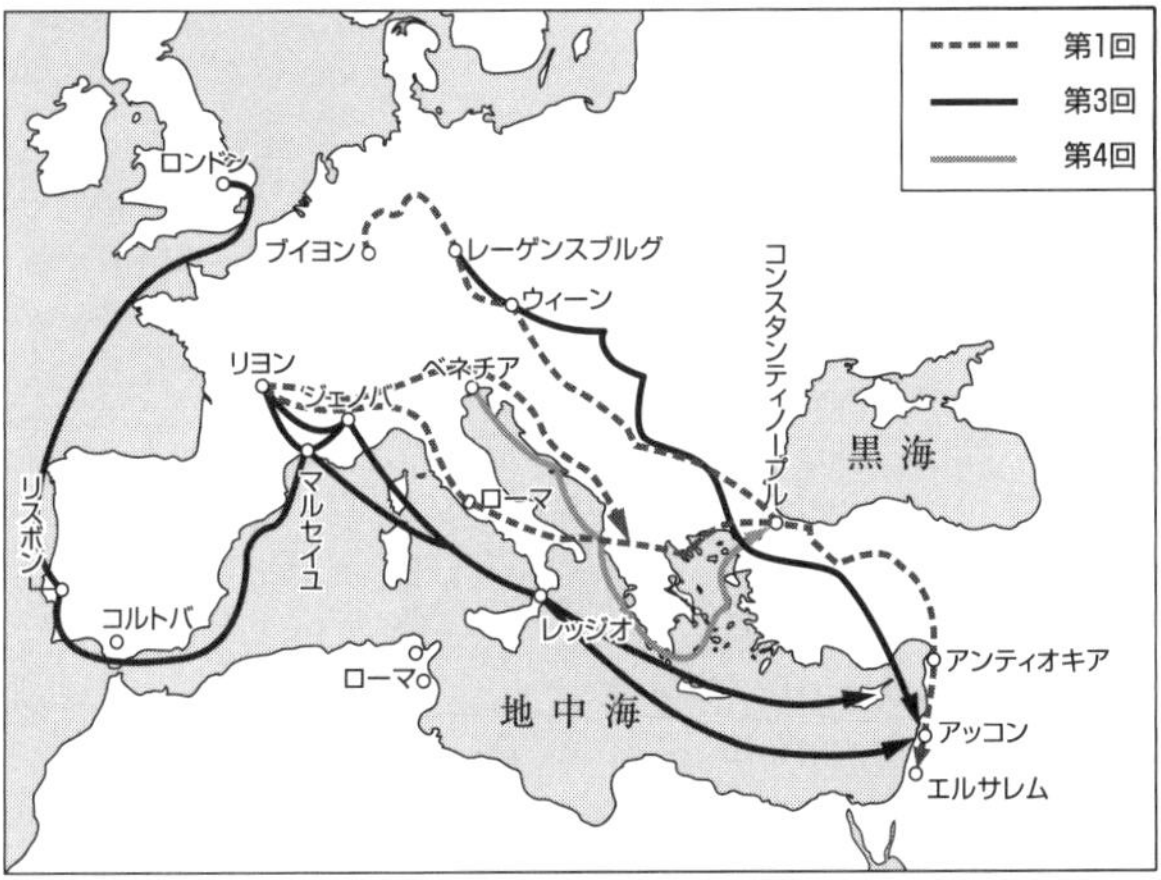

ろうか？
　イスラム勢力がキリスト教徒の巡礼を妨害したからとも言われるが、事実はそうではない。当時、キリスト教国のビザンツ帝国は、イスラム化したトルコ人の新興国セルジューク朝の進出に危機を感じていた。そこで、ビザンツ皇帝はローマ教皇に援軍を頼んだ。その申し出は、ローマ教皇にとっては、東方正教会に対するローマ教会の優位を示すための絶好のチャンスとなった。
　さっそくローマ教皇は各国に使者を送り、十字軍をつのる。すると、多数の王や諸侯が応じた。「遠征に加われば、罪のゆるしの特権が与えられる」という教皇の口説き文句がきいたのだろう。

また、当時の西欧は封建社会が安定し、国王や諸侯は時間や力をもてあましていた。しかも、封建制のもとでは、長男が土地を相続することになっており、騎士の家の次男以下は、家を出ていくしかなかった。そんな彼らが、十字軍の話に飛びついたのだ。

こうして、1096年に編成された第一回の十字軍は、総勢10万人にも達し、エルサレムを占領して「エルサレム王国」を打ち建てることに成功した。

だが、イスラム世界に英雄サラディンが登場すると、この王国は、あっけなく駆逐されてしまう。その後、十字軍が聖地を奪回することはなかった。

この十字軍の失敗は、ヨーロッパ世界にさまざまな影響を与えた。まず、十字軍の指導者であったローマ教皇の威信が失われた。また、東方の領土や富を獲得しようとした諸侯や騎士も、得るものが少なかったため、勢力を失うことになった。

いっぽう、各国の王は、弱体化した諸侯らの領地を没収して、力を強めた。また、兵士と物資の輸送にあたったベネチア、ジェノバなどの開港都市は、東方貿易で大いに栄えるようになった。

中世の都市が城壁に囲まれていたのはなぜ？

ヨーロッパの都市には、歴史的建造物や古い街並みを今に残す「旧市街」と呼ばれる地区がある。そこには、教会や広場、市庁舎など、中世都市を象徴する建物がそろっており、石畳の道沿いに数百年も同じ姿をとどめる古い家々が建ち並ぶ。

ところで、こうした旧市街は、環状道路や路面電車にぐるりと囲まれていることが多い。なぜかというと、かつてそこには都市を守るための城壁やお堀があったからだ。

19世紀からの近代化の波の中、交通の便をはかるためにほとんどが取り壊され、いまでは道路になってしまっているが、かつてそこには、いかにも中世的な城壁が立ちはだかっていたのだ。

それらの役割は、まず何より市民の生命財産を守ることだった。戦争や略奪が日常茶飯事だった時代、都市の城壁は市民の自由と独立のシンボルといえた。ヨーロッパで高度な自治権をもつ都市が発達したのも、この城壁に守られていたからである。

城壁と外部との行き来は、市門を通じて行われた。市門の手前には、堀を渡るための「ハネ橋」（必要に応じて綱で上げ下げできる橋）があり、昼夜、見張りの兵卒が立っていた。もし敵に急襲されれば、そのハネ橋を吊り上げて、市中を守るのだ。

また、治安上の理由から、市門は日没とともに閉じられた。夕方になって市門が閉まると、よそ者は締め出され、市中の者も許可なしに出歩くことを禁止された。居酒屋も閉まり、賭け事も禁じられたため、市中は真っ暗闇の世界になる。もちろん、中世にガス灯や電灯などというものはない。

市門は、たとえ有力者であっても、翌朝まで開けさせることはできなかった。だから、中世の人々は、しんと静まり返った暗い夜長を、行く場所もなくすることもなく、退屈しながら過ごさなければならなかった。

中世のお城の住み心地はどうだった？

ヨーロッパのお城というと、白馬に乗った王子様や、きらびやかなドレスを身にまとったお姫さまのいるロマンチックな住まい、というイメージがある。シンデレラ、白雪姫、眠れる森の美女といった、あこがれのヒロインが住む世界――それが、ヨーロッパのお城の一般的なイメージだろう。

しかし、現実はちがった。そもそも、一言でお城といっても、王や大諸侯が構えたものから、わずかな領地しかもたない騎士が構えたものまで、さまざまなタイプがある。童話やディズニー映画に出てくるゴージャスなお城だけが、ヨーロッパのお城ではないのである。

それに、中世のお城というのは、優雅な生活の場というより、敵の攻撃をはね返すための要塞として造られていた。そのため、建物はぶ厚い石壁で築かれ、1、2階には窓すらない。敵から身を守るために、住みごこちは犠牲にされていたのである。

領主とその家族が住んだのは、条件の良い上のほうの階だったが、窓があったとしてもひじょうに小さく、数も少なかった。しかも、窓にはガラスなどはまっていない。ガラスはまだぜいたく品だったうえ、投石器で攻撃されたらひとたまりもないからだ。

では、窓には何が取り付けられていたのかというと、頑丈な板戸である。室内の通風や採光はその板戸を開け閉めすることで行われていたが、それだと冬場は寒くてたまらない。だから、中世の領主たちは、板戸を閉ざした真っ暗な室内で長い冬をやりすごさなければならなかった。

暖炉はというと、あるにはあったが、石壁に熱がどんどん吸いとられてしまう。火のそばにいる人以外には、暖炉などあってもなくても同じことだっただろう。

城内には、いわゆるトイレもなかった。領主らは「おまる」を用いたが、他の者は、城壁の上の張り出したスペースに立ち、そこに開いている穴に排泄した。排泄物は、下にあるお堀や草地に向けて落ちていく。つまりは垂れ流し式である。

このように、中世のお城の生活は、きわめて不便で、ロマンチックな住まいにはほど遠かった。

錬金術って実際どんな術だった？

錬金術とは、ご承知のように、他の金属を金に変えようとする〝秘術〟のこと。昔の人は、この錬金術におおまじめに取り組んでいたが、現代人の目からみると、それは気の毒なくらいバカバカしいことに思えるかもしれない。

だが、錬金術を愚かな話と、本当にいい切れるだろうか。歴史をふりかえると、錬金術は科学の歴史と切っても切れない関係にあったことがわかるのだ。

錬金術とは、具体的には鉄、銅、亜鉛などの卑金属から、金、銀、白金などの貴金属を生み出す術をいう。その歴史は、古代エジプトにまでさかのぼり、ギリシア、アラビアを経て、十字軍以降、中世ヨーロッパにも広まった。

そうした時代には、まだ科学と迷信は渾然一体とした形で存在していた。だから、錬金術は正当な学問のひとつであり、錬金術師と呼ばれる人々の多くは、医学や薬学、天文学や数学などをよく知る先端の知識人だった。魔法使いのような身なりをしたあやしげな人というイメージは、後世つくられたものである。

錬金術を科学事業として推し進めていた国さえあった。たとえば、神聖ローマ皇帝とボヘミア＝ハンガリー王を兼ねたルドルフ2世は、錬金術にひじょうに熱心で、首都プラハに錬金術師を集め、大金をかけて錬金術を研究させた。

また、万有引力を発見したニュートン（1642〜1727）も、錬金術に没頭し、膨大な文献を残した1人である。

結局、錬金術師たちの営為は、空しい努力に終わったわけだが、彼らが繰り返した実験のおかげで、近代科学の道が開かれたことは見落とせない。蒸留技術や実験道具の発明は、錬金術のたまものである。

中世の戦争で「傭兵」がはたしていた役割とは？

傭兵は、近代国家が成立して国民軍が作られるようになるまえは、各国で幅広く活躍していた。たとえば、イタリアでは、中世の終わりから近世にかけて、各都市が独立性を高め、小ぜりあいを繰り返していたが、そうした戦いは、ほとんどが傭兵隊によって請け負われていた。

とくに、フィレンツェやベネチアなどの商業国家で、傭兵はよく利用された。商業が盛んで文化程度の高い国では、そもそも兵になりたがる者が少ない。商人たちも金もうけで手一杯だ。それでも豊かな財力によって、傭兵を雇い、戦争に勝つことができた。つまり、金で勝利と平和を買っていたわけである。

また、直属軍の少ない封建国家でも、傭兵は重宝された。封建制のもとでは、臣下は封建契約できまった期間しか戦わなくてよいこととされていた。たとえば、1年のうちの1か月間ときめられている場合、その期間をすぎれば、たとえ交戦中でも、彼らは戦場を引き上げてしまったのだ。

また、農繁期の出兵も嫌がられるなど、なにかと不都合が多かった。だから、封建領主たちは、どうしても傭兵を雇わなければならなかったのである。

しかし、当然ながら、傭兵隊にはメリットだけでなく、デメリットもある。まず、雇い主への忠誠心は期待できない。もちろん、職業戦士として、評価の良し悪しが次の仕事に影響するから、あからさまな裏切りや手抜きはしない。もらった給料に応じて、それ相応の働きはする。そのかわり、負けそうになると真っ先に戦場から逃げ出した。

また、戦いが終って収入源がとだえると、野盗団に早がわりし、略奪や強盗を働く連中もいた。しかも、雇い主が支払いの一部としてそれを公認している場合が多かったので、庶民は大いに苦しめられたという。

ふだん「騎士」はどんな生活をしていた?

中世ヨーロッパで活躍した騎士は、日本の武士にあたる存在といえ、騎馬に乗って戦う資格を与えられている戦士をさした。

騎士は当初は、生まれついての身分・階級ではなく、武技・礼法を身につけ、精神的・肉体的な鍛錬をつみ、主君から叙任されてはじめて騎士になれた。農民のなかからも、騎士になる者がいた。

しかし、騎士身分はやがて固定化され、社会階級のひとつになっていく。それとともに、騎士社会には、日本の武士道のような道徳が成立した。それが「騎士道」だ。騎士道では、主君に忠誠を尽くすことや武勲を立てることはもちろん、神への奉仕や異端異教の撲滅などが重んじられた。

また、騎士社会からは、「馬上試合」（トーナメント）という一種の〝スポーツ〟が生まれた。

今日、トーナメントといえば、あらゆるスポーツにおける勝ち抜きの試合形式をさすが、本来は、騎士の馬上試合をさす言葉だ。

馬上試合では、鎧・兜に身を固めた騎士たちが、槍を用いて相手を馬から突き落とし、最後まで残った者が勝者となる。

このイベントは、戦争もなく時間や体力をもてあましている騎士たちが、実践的な演習をかねて行ったものだが、活躍した騎士があこがれの女性から祝福を受けるなど、華やかな社交の場でもあった。息子や未来の娘婿の戦いぶりを見にくる人もいて、観客も大いにヒートアップしたという。

マルコ・ポーロは中国語をどれくらい話せたのか？

マルコ・ポーロといえば、いわずと知れた『東方見聞録』の著者。日本を「黄金の国（ジパング）」としてヨーロッパに紹介したのも彼である。もっとも、マルコ・ポーロ自身が日本を訪れたわけではなかった。中国でフビライ・ハンに仕えるうち、日本に関するいろいろな噂を耳にして、それをヨーロッパに伝えたのだった。

ところで、マルコ・ポーロは中国にどれくらい滞在していたのだろうか？

彼が父や叔父とともに、中央アジアを経由して元の大都（現在の北京）に着いたのは、1271年のこと。元の第1回日本遠征（1274、文永の役）の3年前のことだ。以後、マルコ・ポーロは20年という長いあいだ、フビライ・ハンに仕えた。そして、1281年には、第2回の遠征（弘安の役）があったから、遠征の状況をくわしく知っていたにちがいない。またその間、中国と周辺の各地を旅して、ペルシア語やトルコ語など、数か国語を覚えたという。

ただし、彼はなぜか中国語だけは話せるようにならなかった。それは、支配者であるモンゴル人が、中国文化より西方文化を重んじていたことと関係する。モンゴル人は、中国本土を征服する前から、西方の高度なイスラム文化やキリスト教文化に触れており、中国文化にとくべつなあこがれをもっていなかった。

それどころか、「色目人」（さまざまな種族という意味で、目の色とは関係がない）と呼ばれるウイグル族、タングート族、イラン人ら西方の異民族を優遇して、中国人の支配に当たらせていた。宮廷でも公用語のモンゴル語のほかは、中国語ではなく、ペルシア語が使われていたという。

だから、マルコ・ポーロは中国語を話せなくても、困ることはなかったのだ。

「ペスト」はヨーロッパの社会をどう変えた？

ヨーロッパの古い街を歩いていると、広場などで、「ペスト記念塔」と称される塔を目にすることがある。それは、かつてヨーロッパで猛威をふるったペストの終息を願い、また多数の死者の霊をなぐさめるために建てられたモニュメントだ。

ペストが、ヨーロッパの歴史に及ぼした影響はひじょうに大きい。

とりわけ、14世紀半ばの大流行のときには、地中海沿岸、フランスからドイツ、イギリス、北欧へと広がり、わずか4年間でヨーロッパ人口の3分の1以上の生命を奪ったとみられる。

ペストの恐怖におびえる人々のあいだでは、「メメント・モリ」（死を忘れるなという言葉が流行し、墓地には、骸骨が踊る「死の舞踏」の絵が描かれ、あやしげな神秘主義が横行した。

また、南フランスやライン川沿岸の都市では、ペストの流行をユダヤ人のしわざだとするデマが広がって、ユダヤ人の虐殺が行われた。ペストが人々の心に植えつけた不安や恐怖は、それほど大きなものだったのである。

ペストの大流行は、都市や農村の社会構造まで変えた。都市は人口密度が高かったぶん、ペストの被害が大きく、フィレンツェでは人口の5分の3、ベネチアでは4分の3が失われたとみられている。その結果、がら空きになった街に多くのヨソ者が流れ込み、中世的な秩序がゆらぐことになった。

いっぽう、農村では、労働者の数が減ったことで、農民の待遇や労賃が改善されることになった。それとともに、農民の立場が高まり、領主に対する農民一揆が増えた。百年戦争の前期、英仏で「ジャクリーの農民一揆」（1358）、「ワット＝タイラーの一揆」（1381）が起こったのも、そうした背景があってのことだ。

そこから、中小の領主層や騎士層の経済的な基盤が崩れ、封建制は崩壊に向かう。そうして、王権が強化された中央集権的な国家がヨーロッパに現れるのだ。

百年戦争はどうしてそんなにだらだら続いたのか？

ヨーロッパの歴史には、「○年戦争」と呼ばれる戦争がいくつかある。宗教的な対立を背景に戦われた「三十年戦争」（1618～1648）、マリア・テレジアとフリードリヒ大王が戦った「七年戦争」（1756～1763）などである。

こうした「○年戦争」のなかでとりわけ長く続いたのが、ジャンヌ・ダルクの活躍でも知られる英仏の「百年戦争」だ。戦争がはじまったのが1339年で、終結したのが1453年だから、戦いの期間は百年をゆうに越えている。

いったい両国は、1世紀以上もかけて、何をどう争ったのだろうか？

じつのところ、この戦争は、100年間ぶっとおしで戦われたわけではなかった。百年戦争は、大きく前半戦と後半戦にわかれ、そのあいだには長い休戦期間がある。

前半戦は、英仏両王朝間の戦いだった。そもそもの発端は、1328年、フランスのシャルル4世が亡くなってカペー朝がとだえ、従兄弟のフィリップ6世がヴァロア朝を興こしたこと。すると、イギリスのエドワード3世が、母親がカペー朝の出身だったことから、フランスの王位継承権もあると主張したことで、開戦にいたった。

イギリスがフランスに攻め込む形ではじまった戦争は、当初、イギリス軍の連戦連勝で進んだが、最終的な決着には至らなかった。

14世紀半ばになると、ペストが大流行して、両国に大きなダメージを与え、両国ともに戦争どころではなくなり、戦いは一時、中断されることになる。

百年戦争の後半戦は、15世紀初頭にはじまった。フランスの政治状況の混乱に乗じて、1415年、イギリス王ヘンリー5世がフランスに侵攻し、両国はふたたび

■百年戦争

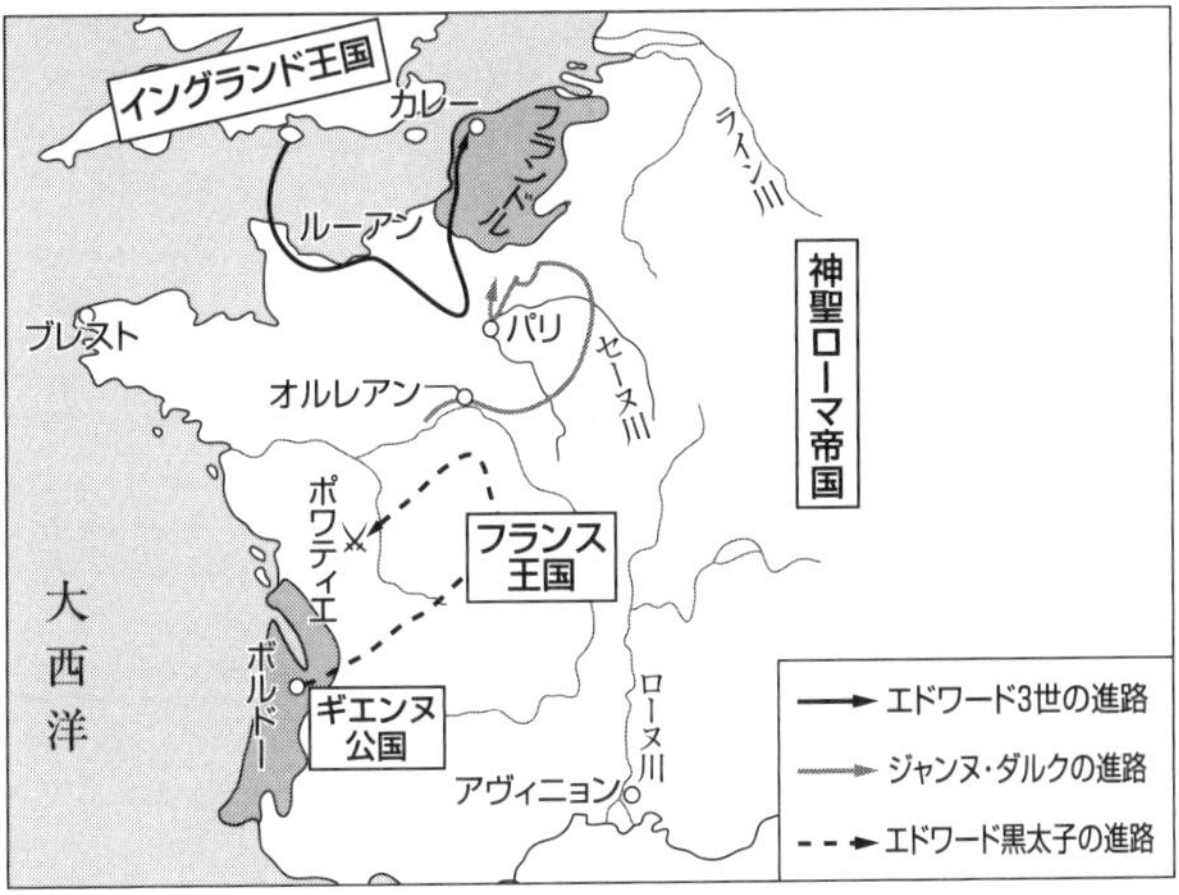

戦闘状態に突入する。

この戦いでもフランスは劣勢に立たされていたが、瀕死のフランスは、ジャンヌ・ダルクという少女の登場で救われた。

1429年、イギリス軍はフランスを南下して要衝オルレアンを包囲するが、ジャンヌ・ダルクがわずかな兵を率いてイギリス軍を撃破。そこから、フランス軍の反撃がはじまり、1453年、カレー市をのぞくフランス全土からイギリス軍を追い出すことに成功した。

長々と続いた百年戦争は、こうしてようやく幕を閉じたのである。

「魔女狩り」がはじまった理由は？

魔女狩りは、カトリックの異端者に対する「異端審問」とのかかわりの中で生まれた。異端審問とは、異端の疑いのある者を裁判にかける制度のことで、対象になったのは、あくまでキリスト教の異端者。「魔女」は、異端とは区別されていた。

魔女が異端として裁かれるようになったのは、14世紀前半のことだ。しかし、そのときはまだ「呪術を使う者」が裁かれるのみで、魔女狩りの規模はそれほど大きくなかった。ところが、15世紀中ごろに、2人の異端審問官が『魔女の鉄槌』という書物を発表すると、状況は大きく変わった。この書によると、魔女とは「悪魔と契約した者」であるとされ、魔女の定義がよりあいまいになった。

この新しい魔女像とともに、当初犠牲になったのは、各地域の嫌われ者だった。人々は感情にまかせて魔女を告発するようになり、その対象は、男性関係にだらしのない女性、口うるさい嫁・姑、利害が対立する者（この場合、男性が「魔男」として告発されることが多かった）などにまで広がった。

しかも、魔女を処刑するさい、教会がその財産をすべて没収できることになっていたからたまらない。魔女狩りをすればするほど儲かるとあって、教会は「営利事業」としての魔女狩りをエスカレートさせた。

その結果、16〜17世紀にかけてのヨーロッパで、魔女狩りの嵐が吹き荒れた。

その犠牲者は、最大で数百万人単位にのぼると推定されている。

ドラキュラ伯爵のモデルはどんな人物？

ヨーロッパの怪奇譚に出てくる魔物のうち、狼男、フランケンシュタイン、吸血鬼の〝三大スター〟は、日本でもよく知られている。

とくに吸血鬼は、19世紀末に小説『ドラキュラ伯爵』が発表されて以来、各国語に翻訳され、映画にも登場して、ひじょうに有名になった。

もともと、中欧や東欧では、血を吸う魔物の話が各地に伝わっていた。それをアイルランド生まれの作家ブラム・ストーカーが、特定の人物をモデルにして『ドラキュラ伯爵』の話にまとめたのだ。

モデルとなったのは、15世紀ルーマニアのワラキア公・ヴラド・ツェペシュである。彼は、オスマン・トルコ帝国が襲来したとき、ゲリラ戦法で抵抗した英雄として知られている。そのいっぽう、対トルコ戦で捕らえた捕虜数百人を、串刺しにしてさらし者にしたことから、「ツェペシュ」（串刺し公）の異名をもつ。

もうひとつ、彼にはニックネームがあった。それが「ドラクール」である。ドラクールというあだ名のルーツは、彼の父親が、神聖ローマ皇帝によって「龍（ドラゴン）騎士団」の騎士に任じられたことにある。

このニックネームは、ヴラド・ツェペシュ本人もお気に入りだったようで、本人筆と思われるサインにも「ヴラド・ドラキュラ」と書かれている。

小説『ドラキュラ伯爵』は、そのユニークなあだ名と、彼の血ぬられた暴君ぶりに着想を得て、書き上げられた。ただし、小説の主人公の名前がドラキュラである点と、その出身地がルーマニアである点をのぞけば、ドラキュラ伯爵にヴラド・ツェペシュと似たところはない。他の部分は、あくまでフィクションである。

5

ポルトガルは、どんな目的で日本までやってきた？

近世

This book collects a series of
behind-the-scenes incidents
from world history.

ハプスブルク家は、どうやって ヨーロッパの半分を手に入れた？

ハプスブルク家は、近世・近代のヨーロッパを代表する超名門王家。ヨーロッパに「大帝国」を築いた華々しい歴史をもつ。

ところで、ハプスブルク家といえば、華麗な宮殿のあるオーストリアのウィーンが思い浮かぶが、発祥の地はじつはスイスの片田舎だった。

そんな田舎貴族がどうやってヨーロッパ屈指の名門になれたのだろうか。

チャンスは13世紀後半に、思いがけなくめぐってきた。

当時のドイツでは、世襲で王が決まる他国とちがって、「選帝侯」という有力諸侯が「ドイツ王」を選び、そのドイツ王がローマ教皇から戴冠されて「神聖ローマ皇帝」の座につくシステムになっていた。

地方の一領主にすぎないハプスブルク家の当主ルドルフがその座に選ばれたのは、有力選帝侯たちが相争うなか、最も無難な存在とみられたからである。

■ハプスブルク家系図

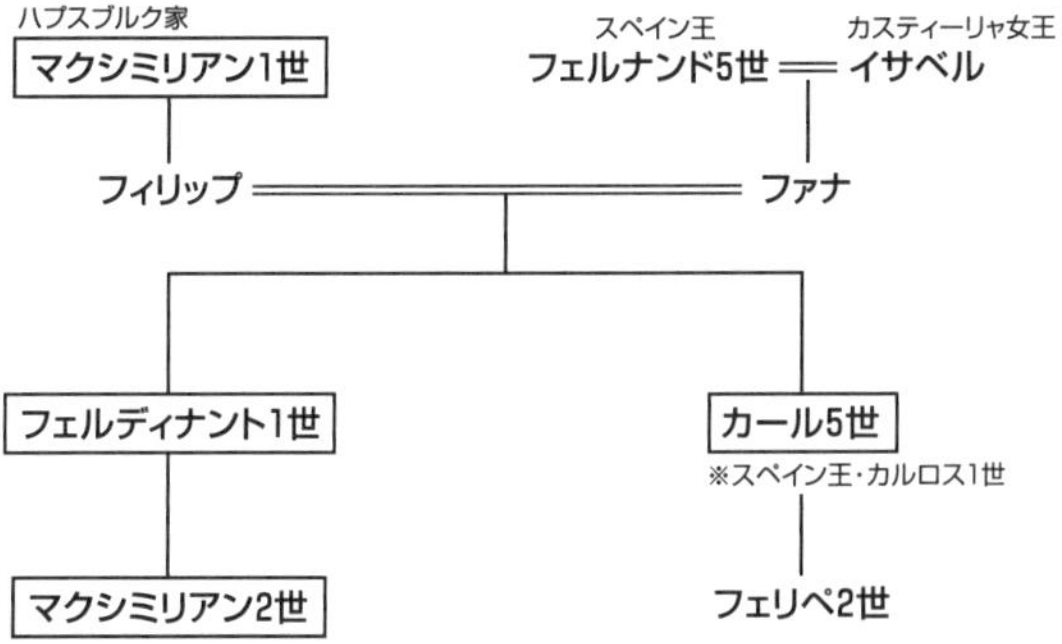

※ □内は神聖ローマ皇帝

ともあれ、こうしてハプスブルク家は、ヨーロッパ史の檜舞台に躍り出た。その後、同家からは有能な当主が次々に出て、勢力を着実に拡大。１３８６年には、本拠地をウィーンに移し、１４３８年にアルプレヒト２世がドイツ王になってからは、皇帝位を独占するようになった。

それと並行して、同家はたくみな政略結婚によって領土を拡大していく。同家中興の祖といわれる皇帝マクシミリアン１世（在位１４９３～１５１９）は、毛織物で栄えていたブルゴーニュ公国の公女と結婚。

さらに、その息子は、スペインのフェ

ルナンド王とイサベル女王の娘と結婚。生まれた子供がスペイン王カルロス1世として、スペインを継いだ。これがスペイン・ハプスブルク家のはじまりである。

カルロス1世は、マクシミリアン1世が死ぬと、カール5世として神聖ローマ皇帝も兼ねることになる。

また、カール5世の弟フェルディナントも、ボヘミア・ハンガリー王家の王女と結婚し、1526年に王位を継いだ。カール5世のあとは、弟フェルディナントが神聖ローマ皇帝位を、息子フェリペ2世がスペイン王位を継ぐ。

こうして同家は、軍事力を使うことなく、政略結婚を最大の武器にして、巨大帝国を築き上げたのだ。

「ばら戦争」とばらの花ってどんな関係?

歴史上数ある戦争のなかでも、イギリスの「ばら戦争」(1455〜1485)ほど、優雅な名前の戦いはないだろう。

だが、戦争が優雅に行われるはずもない。「ばら戦争」は、断続的ながら30年以上にわたって続いた血で血を洗う戦いだった。

では、その戦争をなぜ「ばら戦争」と呼ぶのか？

この戦いでは、赤ばらの紋章を持つ「ランカスター家」と、白ばらの紋章を持つ「ヨーク家」が王位をめぐって戦った。戦場でも、赤白のばらをつけた戦士どうしが激突し合った。そこから、「ばら戦争」と呼ばれる。

ばら戦争の発端は、ランカスター朝のヘンリー6世（百年戦争のときに、一時英仏両国の国王として即位した人）が、百年戦争の終結後まもなく、精神の病にかかったことである。

翌1454年、議会は最有力貴族であるヨーク公リチャードを摂政に任命したが、皮肉なことに、同年末、ヘンリー6世は正気をとりもどした。それで、王位争奪戦がはじまることになった。

1455年、ヨーク公リチャードは、王位継承権を主張して挙兵し、ランカスター家と戦って勝利。リチャードは摂政に復帰し、国政を牛耳るようになる。

すると、腹の虫がおさまらないのはランカスター家だ。そこで、ヘンリー6世の妃マーガレットが、フランス王とスコットランド王の援助を得て、ヨーク家を討つ。

するとその翌年、ヨーク家が反撃に出て王を捕虜にする。それに対して、またマーガレットが挙兵と、一進一退の戦いが続いた。

おおむね、戦況はヨーク派が優勢で、リチャードの戦死後、その子エドワード4世が「ヨーク朝」を開く（1461）。

だが、ヨーク朝は先王ヘンリー6世を殺害したことで世論の支持を失い、さらに1483年のエドワード4世の死後に、その弟リチャード3世がエドワード4世の実子を殺して王位についたため、人々の反感はつのった。

新王を見限った貴族たちは、ランカスター家の血をひき、しかもヨーク家エドワード4世の娘を妻とするヘンリー・チューダーを王位につけ、両家を和解させようとした。

ヘンリーはその期待にこたえて、リチャード3世との戦いに勝利し、1485年チューダー朝を開いた。この王朝が、エリザベス1世の代の1603年まで続くことになった。

「ルネサンス」はどうしてイタリアではじまった？

『最後の晩餐』のレオナルド・ダ・ヴィンチ、『最後の審判』のミケランジェロ、『君主論』のマキャヴェリら、14～16世紀のイタリアには、今日なお世界的に知られる芸術家や思想家が、次から次へと現われた。このイタリアを発信地とする「ルネサンス」は、やがてヨーロッパ各国へ広がり、文化の一大ムーブメントとなる。

それにしても、この時代に、まるで群れをなすように天才的な芸術家が現われたのはなぜなのか？　また、イタリアではじまったのは、なぜだろうか？

ルネサンス（＝再生）とは、人々がキリスト教の教義に縛られていた時代、「宗教もいいけど、もっと今を楽しんでもいいのじゃないか」という気運が高まって生まれたものといえる。その結果、キリスト教に縛られる前のギリシア・ローマ文化が注目を集め、個人の自由や価値が自覚され、人々の精神は解放された――これが、ルネサンスというムーブメントの基本的な流れだ。

■ルネサンス時代

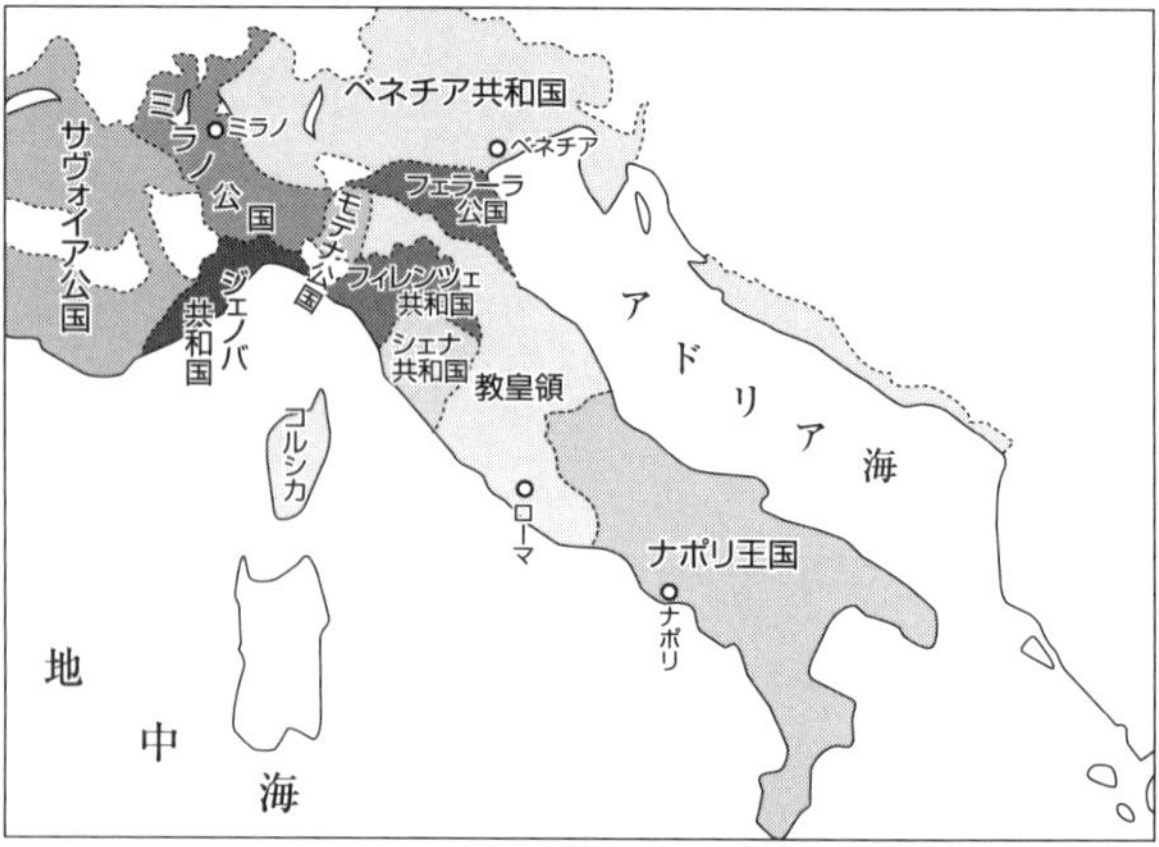

では、なぜイタリアがその発信地になったかというと、ひとつには、そこに古代ローマの文化遺産があったからだ。

また、イタリア諸都市は、東方貿易を通じて異文化と触れる機会が多く、ビザンツやイスラム世界に伝わっていたギリシア・ローマの古典文化や先端の技術をいち早く導入できた。

ビザンツ帝国の滅亡後には、イタリアに亡命した学者らによって、古典文化が逆輸入されることにもなった。

さらに、当時のイタリアは、多くの都市国家に分裂していて、教会の権力に対抗しようとする気運があった。

しかも、各都市には、交易などで得た

豊富な財力があった。
そうした条件がそろって、ルネサンスはイタリアでいち早く花開いたのだ。

ルネサンス時代の王様が、一年中旅していたのは？

15世紀から16世紀のヨーロッパは、中世カトリックの世界観が揺らぎ、ルネサンスをむかえて「近代」へと歩み始めようとしていた。各地の領邦君主の権威がおとろえ、中央に権力が集中しつつあった時代でもある。だが、この段階ではまだ、国王の権威が全土にいきわたるまでにはいたっていない。そこで、国王は年中旅をして、地方に自らの権威を示さなければならなかった。

たとえば、フランスのルネサンスを代表する国王フランソワ1世は、30年以上にわたる治世のあいだに、なんと国内700か所以上をめぐっている。しかも、1か所の滞在期間はわずか10日間ほど。都に腰を落ち着けてはいなかったのだ。

こうした国王の巡行には、側近だけでなく外交使節や貴婦人たちも同行して歩いた。一説では、フランソワ1世は2万人近い人を引き連れていたという。宮廷がそっくりそのまま移動したといっていい。

宿泊先は、巡行先の名士の館になることもあれば、テントを張って野宿することもあった。国王専用の巨大な天幕が用意され、森の中であろうと、畑であろうと、国王が体を休めたいといえば、大急ぎで組み立てられた。

フランソワ1世のライバルだった神聖ローマ皇帝カール5世も、やはり1年の4分の1は旅にあてていたという。皇帝でさえ、地方に出向いて「我こそが皇帝である」とアピールする必要があったのだ。

ちなみに、宮廷にいる国王のもとに、有力貴族や高位聖職者などが訪れるというスタイルが確立したのは、17世紀、各国で絶対王政が確立してからのことである。

誰が「大航海時代」の扉を開けたのか?

15世紀末から16世紀にかけての「大航海時代」は、その後の世界地図や歴史をぬりかえた重要な時代である。

大航海時代の幕を開けたのは、ヨーロッパの小国ポルトガルだった。

当時のヨーロッパでは、アジアからもたらされる香辛料が必需品になっていたが、オスマン帝国に東西貿易をおさえられていたため、アジアでは安価な香辛料がヨーロッパでは驚くほどの高値で取引されていた。

そこで、ヨーロッパ人は、直接アジアと交易するための新航路を求めるようになる。

その先駆けとなったのがポルトガルで、香辛料貿易の独占を狙うようになる。

そのためには、とにもかくにも、アジアへの新航路を発見しなければならない。

そこで、ポルトガルがまず行ったのは、航海術や天文学の研究、および船乗りを育てるための航海学校の建設だった。その一大プロジェクトを指揮したのは、のちに「航海王子」と呼ばれるポルトガル初代国王ジョアン1世の子・エンリケ王子だった。

1418年、エンリケが派遣した最初の探検隊は、アフリカ西沖のマデイラ諸島に到達。その後、南下を続け、1445年には、アフリカ大陸西端のベルデ岬を越える。

この世界に先駆けた探検航海によって、ポルトガルはまずはアフリカの諸部族と交易、金や砂糖などによる莫大な利益がころがりこむようになる。

ポルトガルの躍進は、1460年のエンリケ死後も続く。

1488年には、バルトロメウ・ディアスがアフリカ南端の「喜望峰」に到達。さらに1498年には、ヴァスコ・ダ・ガマが喜望峰を回って、悲願のインド到達をはたした。

人口わずか150万ほどの小国は、こうして大航海時代前半の覇者になるのである。

コロンブスは、なぜアメリカをアジアだと思い込んだ?

イタリア・ジェノバ生まれのクリストファー・コロンブス(1451〜1506)は、アメリカ大陸にいち早く到達した大航海時代のヒーローである。

しかし、彼自身は、自分が到達した土地が「新大陸」だとは考えもしなかった。アメリカ大陸の先住民が「インディアン」「インディオ」と呼ばれてきたことからもわかる通り、コロンブスは、自分が見つけた地を「インド」と信じて疑わなかったのである。

では、コロンブスのまちがった確信は、どこから生まれたのだろうか？

まちがいのもとは、彼が愛読していた『イマゴ・ムンディ（世界の像）』という本と、トスカネリが作成した地図にあった。

『イマゴ・ムンディ』は、地球球体説を唱えたフランスの地理学者ピエール・ダイイ（1350～1420）が著した本で、9世紀にアラブの学者が唱えた「地球の周囲は2万4

■コロンブスのアメリカ到達

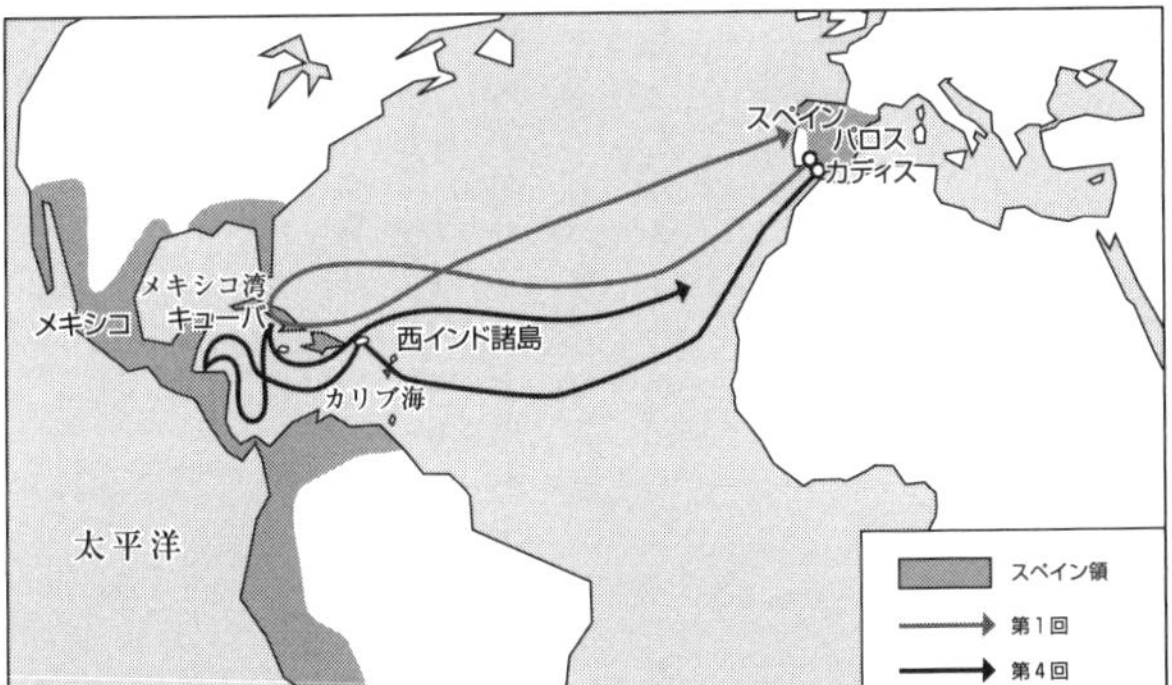

00ミリア」とする説が紹介されていた。

コロンブスは、この「ミリア」という単位を、イタリア人が通常使うように、1477・5メートルだと判断していたが、アラブにおける「ミリア」は、1973・5メートルだったことが、彼の誤解のはじまりだった。「アラブ・ミリア」で計算すると、アラブの学者の説による地球の周囲は、現代の地理常識とほぼ同じ4万260キロになるのだが、コロンブスの誤った計算では、地球の周囲は実際の4分の3の距離になってしまった。だから、彼は地球を現実のサイズよりも小さいものと思い込み、大西洋の先には、アジアがあるはずと考えていたのである。

また、コロンブスが影響を受けたイタリアの数学者トスカネリの地図でも、大西洋のすぐ先にアジアが横たわっていた。

イサベル女王は、どうしてコロンブスの航海を支援した？

個人で大航海を企画したコロンブスにとって、いちばん大変だったのは、スポンサー探し。彼ははじめ、ポルトガルの王に、西周りでアジアに到達する計画を持ち込んだが、けんもほろろに断られてしまう。

そこで、コロンブスは、イサベル女王支配下のスペインに狙いを移した。当時、ポルトガルが大航海でめざましい成功をおさめていたのに対し、スペインが得ていた領土はカナリア諸島だけ。隣国に水をあけられた格好だった。

だから、１４８６年にコロンブスという外国人が現れたとき、スペイン王室では、その話に一応は耳を傾けてみる気になったのである。

ただ、当時のスペインは、南部を占拠するイスラム勢力との対決で手いっぱいだった。

財政は乏しく、女王は大忙し。ほとんど成功不可能に思えるコロンブスの計画が、すぐにいい返事をもらえるはずもなかった。

だが、コロンブスはあきらめなかった。6年にわたって女王の行く先々に向かって、粘り強くスポンサー交渉を続行。ようやく、１４９２年、スペインがグラナダ奪回をはたし、コロンブスにチャンスがめぐってきた。

スペイン王室の援助をとりつけたコロンブスは、同年8月、3隻の帆船と90人の乗組員とともに、スペインのパロス港を出航したのだった。

世界一周の途中のマゼランが殺された理由は？

フェルディナンド・マゼランは、よく知られているように、はじめて世界一周を達成した人物だ。

ただし、正確にいうと、彼は航海の途上で亡くなっているので、彼自身がその航海で地球をぐるりと一周したわけではない。

それにしても、マゼランはなぜ、航海の途中で命を落とすことになったのだろうか？

これは、彼が率いたスペイン艦隊におごりや油断があったからだといえる。マゼラン一行は、1521年4月、太平洋を越えて、フィリピン諸島のセブ島に上陸した。スペイン人らは、セブ王に対してマゼラン提督への服従とキリスト教への改宗を迫り、強引にこれを認めさせた。

ところが、セブ島の隣にあるマクタン島の王ラプ・ラプは、スペインの要求を断固として受け入れない。マゼランはこれに怒り、両者は戦闘に突入した。

マゼランの手勢は60人という少数だったが、大砲や火縄銃などの近代的な武器を装備していた。マゼランは、それで十分に勝てると考えたのだろう。

だが、その考えは甘かった。戦闘の当日、マクタン島の周りは引き潮のために遠浅になっていて、大砲を積んだボートを近づけることができなかった。やむなく膝まで水につかりながら、歩いて岸に近づかなければならなかった。

敵側はそれを見逃さなかった。マクタン島のラプ・ラプ王は、１５００人の兵を率いて、スペイン軍と白兵戦を開始。スペイン兵が足に防具をつけていないことに狙いをつけ、足めがけて矢や槍をいっせいに打ち込んだ。

マゼラン勢は火縄銃で対抗したが、遠すぎて効果がない。近づくと足もとを狙われる。激闘のなか、マゼラン自身も左足を切られて転倒し、槍と刀で突き刺されて絶命する。

多数の負傷者を出したスペイン側は、船のいかりを上げてセブ島を脱出。そして、3隻の船のうち1隻がアフリカの喜望峰をまわって、１５２２年9月、スペインへの帰港をはたした。マゼラン自身が故郷の土を踏むことはなかったが、彼の世界一周の夢は、部下たちによって達成されたのである。

たった180人のスペイン軍にインカ帝国が滅ぼされたのはなぜ？

インカ帝国は、南米のアンデス山中に栄えた帝国で、14〜15世紀にかけて領土を拡大、16世紀には600〜800万の人口を抱えて隆盛を誇った。

だが、それだけの大帝国を、スペインのピサロは、1532年にあっさりと滅ぼしてしまう。ピサロが大軍を率いていたのかというと、そうではない。大軍どころか、彼はわずか180人の歩兵と27頭の馬でインカ帝国にのり込んだのだった。

では、その少数の軍隊が、どうやって大帝国を滅ぼしたのだろうか？

ピサロ一行がインカ帝国に入ったとき、ちょうど帝国は内紛の直後で、新しく帝位についた皇帝アタワルパは、帝都クスコの近くに数万の軍勢とともに陣どっていた。

アタワルパは、ピサロが軍を率いてやってきたことを知るが、敵兵の数を知ってすっかり油断した。それで、友好関係を結びたいというピサロの申し出を聞き入れ、広場での会見に悠然と登場したのである。

だが、それはピサロの狙い通りだった。広場では、ピサロの合図でスペイン軍の急襲がはじまり、不意をつかれた皇帝軍は、わずか30分の戦闘で数千人の兵を殺された。大混乱の中、アタワルパ王はあっけなく捕らえられてしまう。

その後、皇帝アタワルパは処刑され、インカ帝国は５００年余りの歴史の幕を閉じた。

ポルトガルはどんな目的で日本までやって来た？

16世紀半ば、ポルトガル人が種子島に鉄砲を伝えたことで、日本史の流れは大きく変わった。鉄砲が戦場における主力兵器になり、それを駆使した織田信長によって、戦いのステージは群雄割拠の時代から天下統一へと進んでいくのである。

いっぽう、鉄砲を伝えたポルトガル人はというと、その後、毎年のように九州各地の港にやってくるようになった。彼らの目的は、日本産の銀にあった。

当時の日本は、世界屈指の銀の産出国。1526年に石見《いわみ》銀山（現在の島根県）で銀が掘り当てられて以来、生野（兵庫県）や佐渡（新潟県）などに次々と銀山が開かれた。ポルトガル人は、その銀にいち早く目をつけた。

一方、日本側が欲しがったのは、中国産の絹織物や生糸だった。ポルトガル人は、生糸や絹織物を中国で安く買って日本に運び、銀と交換するようになった。その結果、ポルトガル商人が得た利益は、ヨーロッパに香辛料を運んで得る利益より、はるかに大きいものになったのである。

キリスト教はなぜ、「旧教」「新教」に分かれた？

「いごひとなやむ（以後人悩む）」の語呂合わせで暗記できる1517年という年

は、ルターが「九十五箇条の論題」を発表して、宗教改革の口火を切った西洋史のターニングポイントだ。

「以後人悩む」とはよく言ったもので、宗教改革以後のヨーロッパ世界は、カトリック教会（旧教）と、プロテスタント（新教）に分かれて激しく対立し合うようになった。

それにしても、ルターの宗教改革は、なぜそれほど大きなムーブメントになったのだろうか。

それ以前にも、教会の腐敗や堕落に対する改革運動は何度もあったが、ルターの改革は、単なる教会内の改革運動にとどまらず、新しい教派を生むという大改革にいたった。

その原動力は、いったいどこにあったのだろうか。

それには、ルターの改革運動の舞台となったドイツの状況が大きく関係している。

当時のドイツは、３００前後の封建国家、教会領、都市に分裂した状態にあり、イギリス、フランスなどと比べて王権が弱く、教会が強大な組織と権力をもっていた。

そのため、カトリック教会にとって、ドイツ国内は格好の金づるになっていたのである。

カトリックがこの時期、ドイツで大量の贖宥状《しょくゆうじょう》（免罪符）を販売したのもそのためだ。

だが、そうした不合理な搾取に対し、ドイツの商工業者層や農民層は不満をつのらせていた。また、カトリック教会を通じて権威を保とうとする神聖ローマ皇帝に対し、諸侯も反感を抱いていた。

そうした各層の不満が、ルターへの共感となって表面化したのが宗教改革であったといえる。

1517年、ルターが「九十五箇条の論題」をかかげて贖宥状の販売を批判すると、ドイツ国内の諸侯や各層に支持する者が多数現れ、大きな運動に発展したのだった。

イギリスに独特のキリスト教会が誕生したいきさつは？

16世紀におきた「宗教改革」は、カトリック教会の堕落や世俗化への不満からはじまったものだった。政治・経済情勢の後押しがあったとはいえ、ドイツのルター、ジュネーブのカルヴァンの改革が、あくまで信仰上の問題を中心とする運動だったことはまちがいない。

だが、イギリスの宗教改革は、それらとはまったく事情がちがっていた。「イギリス国教会」の誕生は、信仰の問題とはまるで関係のない〝宗教改革〟だったのだ。

当時のイギリス王ヘンリー8世には、キャサリンという妻がいた。キャサリンはカスティリア王国のイサベル女王（コロンブスの航海を援助したことでも知られる）の末娘で、もともとはヘンリーの兄アーサーに嫁いでいた。

だが、アーサーが若死にしたため、ヘンリーが彼女と再婚することになった。イギリスは、なんとしてでも強国スペインとの友好関係を保ちたかったのだ。

■チューダー王朝の系譜

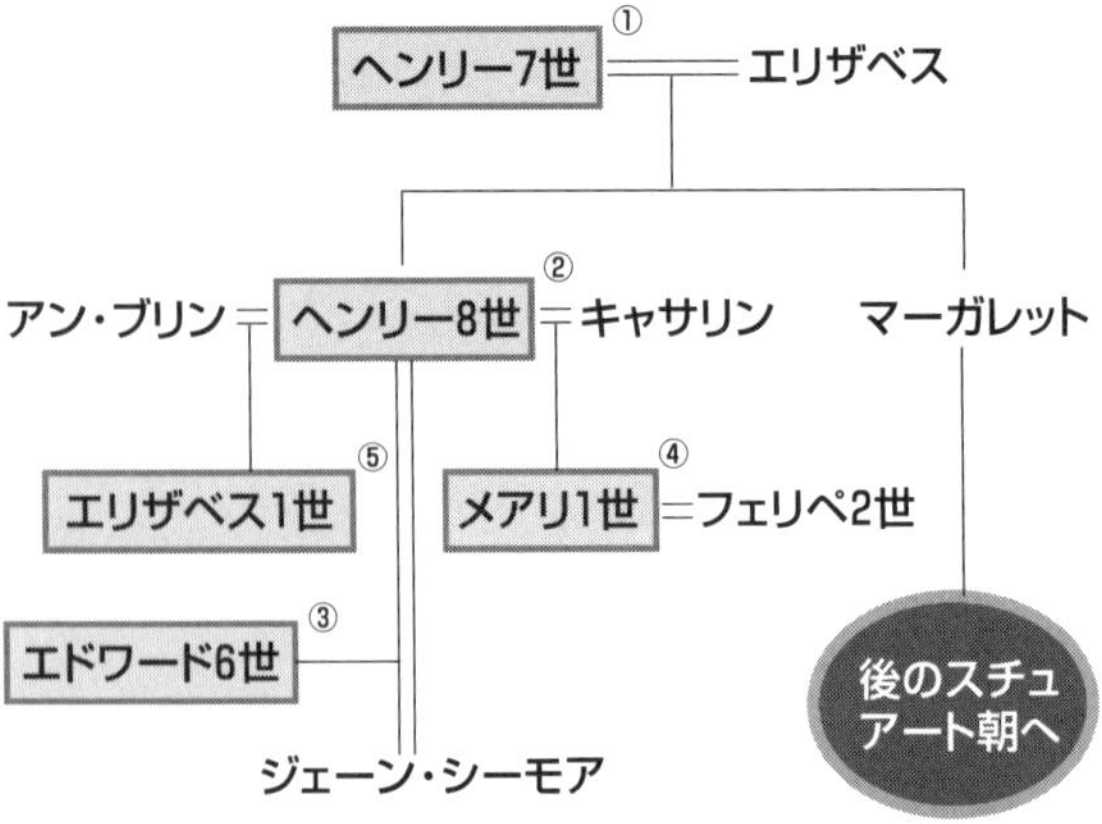

しかし、カトリックには、兄弟の妻をめとるべからずという掟がある。2人の結婚は、ローマ教皇に頼み込んで、例外的に成立したものだった。

ところが、キャサリンが産んだ子は、女子メアリを除いてみな夭折してしまう。男子を欲しがっていたヘンリー8世は失望し、若い侍女アン・ブリンにおぼれ、キャサリンと離婚し、アンと結婚したいと思いはじめる。

だが、カトリックでは、神に誓って結婚した以上、離婚は許されない。そこで、王は離婚がだめなら結婚自体が無効だったことにしてもらおうと、ローマ教皇に使者を送った。しかし、この手前勝手な請願は却下されてしまう。怒った王は、イギリスのカンタベリー大司教に、強引に結婚無効を宣言させ、キャサリンとの離婚とアンとの結婚を成立させた。

　これに対して、ローマ教皇は、ヘンリー8世を破門。両者の対立は決定的になった。ついに1534年、「イギリス国王がイギリス国教会の唯一最高の首長である」とする「首長法」が議会を通過、イギリスはカトリック教会を離脱した。

ヘンリー8世はなぜ6回も結婚したのか？

　ヘンリー8世はエリザベス1世の父親でもあるのだが、前項で紹介した女性を含め、生涯に6人もの女性と結婚・離婚をくり返した。

　カスティリア王国のイサベル女王の娘、キャサリンとの結婚を無効にし、ローマ教会との縁を切ってまで、侍女のアン・ブリンと結婚するのだが、新妻アンもヘンリー8世の期待にこたえることができなかった。彼女は女児（エリザベス）を産んだことで王を失望させ、その3年後に、不義姦通の罪をでっちあげられて、処刑されてしまう。

その処刑の10日後、王はジェーン・シーモアと結婚。シーモアは待望の王子エドワードを産んだが、彼女はお産の直後に死んでしまう。続く第4妃は、魅力に乏しいという理由で半年後に離婚させられ、第5妃は1年足らずのうちに姦通罪で処刑された。

1543年、王は52歳で6番目の妃を迎えるが、それが最後の結婚だった。4年後、ヘンリー8世は57年の生涯を閉じる。

王位は、3番目の妻ジェーン・シーモアが生んだ息子エドワードが継いだが、彼は即位後6年で死亡。続いて、キャサリンの子メアリ、次にアン・ブリンの子エリザベス1世が継いだが、彼女には跡継ぎがなく、チューダー王朝は断絶した。

エリザベス1世はなぜ生涯独身をつらぬいたのか?

ヘンリー8世の娘である女王エリザベス1世は、父とちがってイギリス史上屈指の名君といわれる。

エリザベスが即位する前のイギリスは、けっして大国ではなく、二流国の地位に甘んじていた。そこにエリザベス1世が登場して、たくみな内外政策を打ち出し、大国としての基礎を築くのである。

彼女は「私は国家と結婚しているのです」というセリフで知られ、生涯独身を貫いたが、これも彼女ならではの外交戦略の一貫とみられる。

ふつうの女王なら、強国と同盟を結ぶため、政略結婚したはずだ。ところが、エリザベスがその常識的な道を選ばなかったのは、二流国のイギリスが政略結婚で強国と結んだところで、結局は夫の国のいいなりになってしまうことを承知していたからだ。

彼女のもとには、当時絶大な勢力を誇っていたスペイン、神聖ローマ帝国、フランスなどをはじめ、各国の王子・貴族からの求婚が殺到していたが、エリザベスはそれらを手玉にとりながら、返事をはぐらかし続けた。

おかげで、おおぜいの有力候補者たちは、イギリスとエリザベスに対して、やさしく振る舞わなければならなくなった。エリザベスは独身を貫くことで、結婚という〝外交カード〟を最大限に利用したのだ。

もうひとつ、彼女が結婚しなかった理由としてあげられる説がある。エリザベスには、寵臣ロバート・ダドリー卿とのロマンスの噂がささやかれていた。そんななか、結婚を望む2人がダドリーの妻の暗殺計画を立てている、という噂が宮廷内に広まった。そして噂どおり、ダドリーの妻は、階段から落ちて急死してしまったのだ。

それが他殺だったかどうかは謎のままだが、噂が流れていただけに、かえって2人は結婚しにくくなった。結婚すれば、暗殺説の真実味が増すからだ。

結局、2人は生涯結ばれることはなかった。それでも、エリザベスが知り合った男性のなかでは、このダドリー卿が彼女の一番の理解者だったとみられている。

「太陽の沈まない国」スペインが没落した原因は？

16世紀のスペインは、ヨーロッパ最強を誇る強国だった。その領土は、アメリカ大陸、フィリピン、ネーデルラント、ナポリ、シチリアにまで拡大し、1580年には血統の絶えたポルトガルも併合した。

こうして、スペインは「太陽の沈まない国」——世界中に存在するスペイン領のどこかで必ず太陽が昇っている——といわれる世界帝国を築いた。

しかし、絶頂期にあったスペインは、ほどなくして衰退の道を歩みはじめる。その大きな要因となったのが、フェリペ2世の宗教政策だ。

カトリックの盟主を自負し、反宗教改革を推し進めていたフェリペ2世は、新大陸からもたらされた富の多くを宮殿や教会建築に費やした。そして、そのために生じた財力不足を、ネーデルラントへの重税で補おうとした。

当時のネーデルラントは、南部（ベルギー）の毛織物工業と、それを輸出する北部（オランダ）の経済活動で、富をたくわえていた。

フェリペ2世は、この地への課税を強化、さらにカルヴァン派の多いこの地にカトリックを強制したのである。

しかし、この政策は、ネーデルラントの不満をつのらせ、ネーデルラント独立戦争（1568〜1609）に発展した。激しい戦いの結果、1581年に北部7州が「ネーデルラント連邦共和国（オランダ）」として独立する。

その間、新教国のイギリスもオランダの独立を支援し、海賊にスペイン船を襲撃させるなどした。

さらに1588年には、フェリペ2世が誇った無敵艦隊は、エリザベス女王率いるイギリス海軍にあっけなく敗れてしまう。

この敗戦以降、「日の沈むことのない国」スペインは、落日を見ることになるのである。

どうして海賊に「ナイト」の称号が与えられた？

16世紀末、スペインとイギリスが戦争にいたった背景には、スペイン船に対してイギリス船が海賊行為をしていたという事情があった。

その海賊行為をしていた人物の中でとりわけ目立った活動をしていたのが、フランシス・ドレイク（1543〜1596）である。

ドレイクは若い頃、親戚であるジョン・ホーキンスのもとで、奴隷の密貿易をしていた。ところが、１５６７年、メキシコの港でスペイン海軍に襲われ、３隻の船とともに拿捕《だほ》され、どうにか逃げ帰るという苦い経験があった。

このとき、拿捕された船の１隻がエリザベス女王のものだったことから、イギリスとスペインの関係が険悪になり、英国船はスペイン船をしきりに襲撃するようになった。

ドレイクも、１５６８年に自ら船を調達して船長になると、西インド諸島、チリ、ペルーなどでスペイン船や植民地を襲って、財宝を奪って回った。そして１５８０年、太平洋を横断して、喜望峰周りで帰国。マゼラン以来、史上２番目の世界一周を成し遂げた。

帰国後、ドレイクは略奪した金銀財宝をエリザベス女王に献上し、イギリスの人々から熱狂的な歓迎を受けた。その額は、当時のイングランドの国家歳入を上回るものだったという。

一方、腹の虫が治まらないのはスペイン。フェリペ２世は、ドレイクを処刑するようにと使者を送って抗議したが、エリザベス女王はその使者の目の前で、ドレイクを「ナイト」に叙してみせた。敵対するスペイン船への略奪行為は、貴族の地位にふさわしい勇気ある行為とみせつけたのである。

その後、スペインはイギリスに報復戦をしかける。それが、1588年のアルマダの海戦である。

このとき、英国艦隊の実質的な指揮をとった人物こそ、海賊から成り上がったドレイクだった。彼の活躍により、スペインの無敵艦隊は壊滅的な打撃を受け、敗走することになったのだ。

小国オランダがあっという間に経済覇権を握ったのは？

オランダはスペインと戦い、1581年に「ネーデルラント連邦共和国」として独立、その後驚異的な経済成長を遂げて、黄金時代をむかえた。小国オランダが、17世紀には世界経済の覇者へとのしあがったのである。

わずか7州で独立した小国がなぜ、という疑問はもっともだが、そこにはさまざまな理由があった。

まず、当時北ヨーロッパ経済の中心地だったネーデルラント南部の都市アントワープ（現ベルギー）が戦争で荒廃し、大商人が北部へ移ってきたこと。これによって、アムステルダムが空前の経済発展をとげることになる。

さらに、オランダは、ポルトガルとスペインが独占していたアジア進出にも乗りだす。

当時のアジア貿易は、フィリピンのマニラに拠点をおくスペインと、マレー半島のマラッカに拠点をおくポルトガルに独占されていたが、オランダはそこに割り込むことに成功した。背景には、1588年にスペインの無敵艦隊がイギリスに敗れ、スペインの圧力がやわらいでいたという事情がある。

オランダは、1597年から1601年にかけて、船団15、計65隻をジャワ島に送り込んだ。目的は香辛料貿易だ。この時期、日本にも到着している。

1602年には、オランダ企業どうしの争いを避けるために、それらを統合した「オランダ東インド会社」を設立。同社には、商業活動の権利だけでなく、条約の締結権や軍隊の交戦権といった特権が与えられ、資本力でも諸国を圧倒した。こうして、オランダは、香辛料の一大産地・モルッカ諸島をめぐって争っていたポルトガルの追い出しに成功する。

また、オランダと同じ頃、イギリスもジャワ島とモルッカに進出していたが、1623年の「アンボイナ事件」で、オランダは現地のイギリス人商館員をすべて虐殺し、モルッカ諸島からイギリス勢力も一掃した。さらに、ポルトガルからマラッカも奪いとり（1641）、香料貿易をほぼ完全に独占する。

こうしてオランダは、新興国から大躍進して、世界経済の覇権をにぎることになったのだ。

鎖国中の日本との貿易で、オランダはどのくらい儲かっていた？

日本語には、コップ、ビール、ポンプ、ガラス、ランドセルなど、オランダ語に由来する言葉が多くある。

東京駅近くの八重洲という地名も、オランダ人ヤン・ヨーステンの名にちなんだものだし、「ポン酢」も、オランダ語の「ポンス」に由来する。

　これらの言葉は、対オランダ貿易を通じて、日本に入ってきたものである。

日本とオランダとの交易は、1600年、オランダ船リーフデ号が日本に漂着したことをきっかけにはじまり、いわゆる鎖国時代に続けられた。

　当時の日本には、すでにポルトガル、スペインが来航しており、遅れてイギリスもやってきたが、この中で、オランダだけが鎖国下の日本でも貿易を続けられたのは、スペイン、ポルトガルとちがって、キリスト教の伝道に執着しなかったからだ。

　では、この日蘭貿易で、オランダは儲かったのだろうか？

　はじめのうちは、かなり儲かっていたといえる。

　1639年にポルトガル船の来航が禁じられてからは、オランダが独占的に中国産の生糸・絹織物を日本に持ち込むようになり、1640年のオランダ船による輸入総額は、それまでで最大の規模に達している。

　いっぽう、その代価として日本から持ち出されたのは、ほとんどが金銀銅などの貴金属だった。

　しかし、オランダが有利な条件で自由に貿易できた期間は、そう長くはなかった。日本の大幅な輸入超過によって、金銀が大量に海外に流出するようになると、1685年、幕府は貿易額を一定額までとする貿易統制を行うようになる。

それにより、オランダは金5万両までしか認められなくなり、長崎貿易はふるわなくなった。

だが、その一方で密貿易は盛んに行われた。幕府の管理は厳しかったが、オランダ人乗組員のなかには、密輸品を隠し持ち、こっそり日本国内で売る者がいた。密輸品は、琥珀、珊瑚、サフランなど。小さくて高価なものが主だった。

オランダ本国で日本との貿易を廃止しようとする声が何度か上がったにもかかわらず、日蘭貿易が250年にもわたって続いたのは、ひとつにはこの密貿易のうまみがあったからなのだ。

カリブ海で海賊船が活躍していたのはいつ頃の話?

ジャマイカやハイチ（エスパニョーラ島）などの島々が浮かぶカリブ海は、昔は、海賊がのさばる危険な海として悪名高かった。その海賊たちが、ディズニーランドのアトラクションでおなじみの「カリブの海賊」たちである。

カリブ海で海賊が暴れまわったのは、17世紀から18世紀にかけてのことだ。その時代、海賊がのさばったのは、彼らに国家的な後ろだてがあったからだ。

今では、海賊を歓迎する国などどこにもないが、その時代は事情がちがった。

各国が植民地争奪戦を繰り広げていた当時、イギリスをはじめとするいくつかの国は、カリブ海のスペイン領攻略をねらって、海賊によるスペイン領やスペイン船襲撃を黙認していたのだ。場合によっては、「私略船特許状」という許可状を発行して、海賊行為を公認すらした。

このように、国家を後ろだてにしながらスペイン船を襲う海賊は、私的に略奪を行う「パイレーツ」とは別に、「バッカニア」と呼ばれた。

バッカニアの一大拠点になっていたのは、「ポート・ロイヤル」という町。ジャマイカの首都キングストンの南約5キロに位置するその町は、当時、カリブ海ルートの要衝だった。

もとはスペイン領だったが、17世紀半ば、イギリスが攻略すると、賭博場、売春宿、安ホテルがたち並ぶ一大歓楽街となる。町には、海賊や人殺し、酔っ払いなどのアウトローがあふれたが、イギリスの役人は彼らを取り締まらなかった。彼らにスペイン船を襲わせて、その略奪品の一部をふところに入れていたからである。ところが、1692年、巨大地震がこの町を襲い、大津波がおし寄せた。すると、町の大半は海水にのみこまれ、跡形もなくなってしまった。

まるで聖書に出てくる話のようだが、じっさいにあった出来事である。以来、海賊で栄えた街は海底に没したままになっている。

豪華なルーブル宮殿の建設費は、どうやって集められた?

フランスが世界に誇るパリのルーブル美術館は、もともとフランス王の王宮として建てられた建物。造営者は、フランス・ルネサンス期を代表する国王フランソワ1世(在位1515~1547)だ。

彼は、派手好き、戦争好き、建築好きの王様で、好きなことには惜しみなく資金をつぎこんだ。たとえば、晩年のレオナルド・ダ・ヴィンチをフランスに招いたのも彼。イタリア人のダ・ヴィンチの『モナ・リザ』がフランスのルーブル美術館にあるのも、ダ・ヴィンチの死後、フランス王家に渡ったことがきっかけになっている。

また、この戦争好きの王は、繰り返しイタリア遠征を試みた。ところが、1525年、生涯のライバルであった神聖ローマ皇帝カール5世（＝スペイン王カルロス1世）に大敗し、捕虜としてマドリードに幽閉されてしまう。

そのとき、パリ市民が保釈金を集め、王は釈放されたのだが、人々はその見返りとして王にパリに住むように要求した。

なぜそんな要求をしたのかというと、じつはこの時代、歴代の王が都のパリにあまり滞在していなかったからだ。

王たちは地方の統治に忙しく、おもにロワーヌ川流域に点在する城を居城にしていたのである。

だから、パリに住むことを求められても、パリには王にふさわしい住まいがなかった。

そこで王は、それまで武器庫や文書庫として使われていた要塞を、宮殿に改築することにした。それが、ルーブル宮殿、後のルーブル美術館の原型となる。

ただ、問題だったのは、長年の戦争で国庫が底をついていたことである。フランソワ1世は何かいいアイデアはないかと思案をめぐらせ、市民にも歓迎されるやり方で資金を集める方法をあみだした――。

その方法は、「LOTERIE《ロトリー》」、略して「LOTO《ロト》」。数字あての宝くじである。世界初の試みとなったこの国営の宝くじは、「少ない金額で大金持ちになれる」とパリ市民に大いにうけ、王は宮廷建設費を捻出することができた。

このロトくじは、今でもフランスで人気があり、街のあちこちに「LOTO」の看板がある。

名家の「メディチ家」が没落した原因は？

イタリア・フィレンツェのメディチ家といえば、ルネサンス最盛期を代表する名家。同家は、13世紀に薬種業をはじめ（「メディチ」は「薬」という意味）、やがて金融業に手を広げて15世紀に絶頂期をむかえる。

同家は、その財力を武器に市政を支配し、ボッティチェリ、ミケランジェロなど、大勢の芸術家のパトロンになった。

さらに、16世紀には一家からローマ教皇レオ10世とクレメンス7世を送り出し、クレメンスの子アレッサンドロは、フィレンツェ公国（後のトスカーナ大公国）の君主となった。

だが、どんなに繁栄を誇る名家だろうと、いずれ没落のときは来る。メディチ家の場合、それは17世紀半ばのコジモ3世の代にはじまった。

コジモ3世は、現在のようなフィレンツェの景観をつくりだしたコジモ1世の玄孫だが、メディチ家の歴史の中で際立って暗愚な人物だったといわれる。宗教改革後もカトリック信仰にひたすら凝り固まった。

しかも、その在位期間は、53年という長きにわたった。愚かな君主の在位が長ければ、たいていの国は傾いてしまう。困ったことに、彼の息子たちもそろって愚かだった。

やがて、メディチ家が君臨してきたトスカーナ大公国には後継者もいなくなり、ハプスブルク家のロートリンゲン家に所有が移った。

メディチ家の最後の相続人は、アナ・マリアーナ・デ・メディチという女性。彼女は「メディチ家の財産はトスカーナ大公に譲るが、その財産はフィレンツェの宝でもあるので、領地の外に持ち出してはならない」という遺言を残した。

結局、メディチ家は彼女を最後に断絶したが、その英華が今日に伝わっているのは、その遺言があったからといえる。

ヨーロッパ人はなぜカツラをつけていたのか?

昔のヨーロッパ人の肖像画を見ると、ふさふさした巻き毛をたれ下げたルイ14世、長い巻き毛をリボンで後ろに結んだルイ15世、白髪をくるくるにカールさせているバッハやヘンデルなど、特徴のあるカツラをつけているものが多い。

じっさい、ヨーロッパには、紳士の身だしなみにかつらが欠かせないという時代があった。

かつらがヨーロッパで〝市民権〟を得たのは、16世紀以降のこと。とくにフランスでは、ブルボン王朝下でカツラ文化が花開いた。流行のはじまりは１６２０年代。ルイ13世がかつらをつけはじめたことがきっかけになった。

次のルイ14世は無類のカツラ愛好家で、さまざまなデザインのカツラを時と場合に応じてかぶり分けていた。

ルイ15世のロココ時代になると、カツラ文化は頂点に達する。当時の流行は、前頭部をくるくる巻きにし、後ろ髪を優雅にリボンで結ぶスタイル。また、宮廷音楽家がサロンに出入りするときにも、カツラは必需品だった。男性のカツラは、エレガンスの象徴だったのである。

そうしたカツラ文化は、19世紀に急速にすたれていくが、現在までその名残りをとどめている場面もある。

イギリスの上下議院の議長や、高級裁判所の裁判官などは、ふさふさした巻き毛のカツラを権威のしるしとして、議場や法廷で今もかぶり続けている。

ロシアはどうしてあんなに大きな国になった？

ロシアの国土面積は、約1710万平方キロメートル。日本の国土の約45倍、世界の陸地の8分の1に相当する広さを誇る。

そのロシアの歴史は、面積わずか8万平方キロメートル、北海道ほどの広さのモスクワ大公国からはじまった。

モスクワ大公国は当初、東方から侵攻してきたモンゴルのキプチャク・ハン国の支配下にあったが、イワン1世が他のロシア諸侯国に対する宗主権を獲得し、イワン3世の時代の1480年、キプチャク・ハン国から独立した。

そして、同3世は、東ローマ帝国最後の皇帝の姪と結婚し、自らをローマ帝国の後継者という意味で、「ツァーリ」（皇帝）の称号を用いた。1453年、東ローマ帝国が滅び、ギリシア正教の中心もロシアへ移ってきていた。

このイワン3世の孫にあたるのが、「雷帝《らいてい》」こと、イワン4世だ。彼は「全ロシアの「ツァーリ」を自認し、東方へ勢力を伸ばし、モンゴルの残存勢力から、シベリアの土地を次々と奪いとっていく。

そして、不凍港を求めて、黒海地方にも進出する。そうして、ロシアは東、そして南へと、国土を拡大していった。いずれも、強力な勢力がいないエリアだったので、かつて東方から攻めこんだモンゴルが大帝国を築いたように、今度はロシアが西から侵略を開始して、世界最大の国を築くことになったのだ。

イワン雷帝が「雷帝」と呼ばれるのは？

ロシアの領土を拡大した皇帝イワン４世が「雷帝」と呼ばれる最大の理由は、彼が行った恐怖政治にあるといっていい。ここで、雷帝の治世をふりかえると、まず17歳のとき、ツァーリとなり、若い頃は、貴族間の権力闘争で苦労するが、そのなかで政治技術を磨きながら、権力を確立。さまざまな分野の改革を断行する。法制を整備し、常備軍を創設し、身分制議会を開設した。

彼は軍人としても有能で、1552年には南方のイスラム教国カザン・ハン国を併合。1556年にはアストラ・ハン国を併合した。1581年には、ドン・コサックの首長イェルマークを東方に派遣して、シビル・ハン国を攻撃した。それが、後の「シベリア」となる。

そして彼は、より強大な権力を手に入れようと、大貴族の力をそぐための政策に着手する。まず、忠実な臣下を育成するため、下級貴族からの人材を登用。また、教会と修道院も服属させた。こうして、雷帝は大貴族の力を弱め、自らの権力基盤をゆるぎないものにしていく。しかし、その政治手法は、やがて恐怖政治に発展した。

その直接的な原因は、最初の妃アナスタシアの死だった。雷帝は、その死を部下による毒殺とみて、猜疑心《さいぎしん》を深めていく。そして、「オプリーチニキ」というテロ部隊を組織し、上からの政治テロを行った。疑わしい者を拷問にかけ、殺害したのだ。

イワン雷帝は晩年、他人への不信感をいよいよつのらせ、ついには息子まで自らの手で殺害。その3年後に、自ら息子を手にかけたことを後悔しながら世を去った。

英語が世界の〝共通語〟になったきっかけは？

世界にはたくさんの言語があるが、現在、事実上の世界共通語になっているのは英語である。

歴史をふりかえると、英語の〝独走状態〟を生んだ原因は、18世紀半ばの「七年戦争」（1756～1763）に求められる。

七年戦争は、プロイセンのフリードリヒ大王と、オーストリアのマリア・テレジアが中心になって戦った戦争で、プロイセンにはイギリスが、オーストリアにはフランスとロシアが味方した。最終的に勝ったのは、プロイセン側である。

この戦争は、英仏による植民地争奪戦と並行して戦われていた。北米での「フレンチ・インディアン戦争」やインドでの「カルナータカ戦争」がそれだ。

戦いの結果、負けたフランスは、ケベックをイギリスに割譲し、北米から撤退。

インドからも事実上撤退した。

各地の植民地を失ったフランスでは国家財政が傾き、やがてフランス革命に至ることになる。

いっぽう、勝ったイギリスは、世界に広大な植民地帝国をもつことになった。そして、そこで得た莫大な利益をもとに、産業革命を推進していったのである。

産業革命前、人口わずか700万だったイギリスは、こうして世界に君臨する大国にのし上がった。

19世紀末から20世紀はじめにかけての最盛期には、世界の地上面積の5分の2と、4億から5億の人口を支配するまでにいたる。それが、後世に影響をおよぼして、現在のような英語のひとり勝ち状態をつくったのだ。

6

明の艦隊がアフリカまで進出したのはなぜ？

アジアⅡ

This book collects a series of
behind-the-scenes incidents
from world history.

サルタンの夜のお相手はどうやって決まった？

イスラム世界屈指の大帝国を築いたオスマン帝国（１２９９～１９２２）では、最盛期には１０００人を超える女性たちがハーレムに囲われていた。

彼女たちは、宦官によって監督されながら、礼儀作法、料理、アラビア文字の読み書きや文学にいたるまで、さまざまな教養を身につけていた。

といっても、サルタンはたった１人だから、夜の相手に選ばれるチャンスはほとんどめぐってこない。

サルタンのお相手に選ばれるには、まずサルタンの前に、母后のおめがねにかなわなければならなかった。母后は、ハーレムの女主人として高い尊敬を払われる存在で、彼女に気に入られた者だけが、サルタンに選ばれる資格をもつ。資格をえた女性はサルタンの前にズラリと並べられ、幸運な者だけがサルタンの「お手つき」となった。

以来、その女性は、イクバル（幸運な者）、あるいはギョズデ（お目をかけられた者）と呼ばれ、豪華な個室を与えられて、サルタンの夜のお相手をつとめた。

いっぽう、幸運に恵まれなかった侍女たちは、サルタンから重臣に下賜されることもあったが、基本的にはハーレムの片隅でさびしく一生を終えることになった。

アンコール・ワットをつくったのはどんな人たち？

カンボジアのアンコール・ワットは、12世紀はじめ、アンコール朝のスールヤヴァルマン2世（在位1113頃〜1150頃）の治世に築かれた石造寺院だ。アンコール朝は、クメール人の王国で、最盛期には東南アジア全土を制するほどの規模だった。

しかし、それだけ大きな国だったにもかかわらず、それを築いたクメール人がどのような人々だったのかは、よくわかっていない。彼らが史書を残さなかったからだ。

現地に残る神話や伝承によると、クメール人はアーリア・デッカという謎の王国から移住してきた民族だという。アーリア・デッカは、ヒマラヤ周辺に存在したと伝えられているものの、他の国の史書にはまったく登場しない正体不明の国だ。

クメール人は、その王国を離れたあと、1世紀末頃、ほぼ現在のカンボジアの位置に「扶南」を、6世紀に「真臘」を建てた。これらの存在は中国の歴史書で確認できる。

その後、9世紀にアンコール朝がはじまるわけだが、この王朝を開いたジャヤヴァルマン2世という人物の出自も、まったくわかっていない。どうやら国外からアンコールの地に入った人物らしいが、どこで生まれ、どのようにして権力を奪取したかも不明だ。

アンコール朝は、その後500年の歴史をへて、1432年、タイのアユタヤ朝の侵攻により滅亡した。誰もいなくなった王都は荒れ果て、寺院は密林に埋もれていった。それが1860年、フランス人の学者によって発見され、ふたたび脚光を浴びるようになったのである。

モンゴル軍の強さの秘密はどこにある？

チンギス・ハンは、13世紀にモンゴル帝国を建国し、やがて世界地図を塗りかえた英雄。じつは、彼の大征服事業のかげには、トルキスタン地方のウイグル人やイスラム商人たちの活躍があった。

彼らは、モンゴル帝国が出現する前から、シルクロードを通って東西を行き来しており、中国やモンゴルとの交易で利益をあげていた。ただし、彼らには悩ましい問題があった。東西交易路の治安の悪さである。

モンゴルが台頭するまえの12世紀のアジアには、金、西夏、ウイグル、ホラズム王国、アッバース朝、アイユーブ朝などの国々が並びたっていた。その紛争もあって、東西の交易路地帯の治安は悪く、しかも各国を通るたびに通行税をとられた。

そんなわけで、シルクロード商人たちは、この地域をひとつにまとめあげてくれる大国の出現を歓迎したのだ。

いっぽう、チンギス・ハンにとっても、彼らの存在はなくてはならないものだった。彼らは遊牧民に生活物資を運んでくるだけでなく、関税によって利益をもたらす存在でもある。そのうえ彼らは、各地の情勢の貴重な情報源でもあった。

彼ら商人は、ユーラシア大陸をまたにかけて活動していたので、各地域の政治・経済情勢、文化や習俗、有力者の人柄、人間関係などを知りつくしていた。その情報をチンギス・ハンはいちはやく仕入れて、攻め込むチャンスをうかがうことができたのだ。とくに、モンゴル軍が、西トルキスタン・イランを支配するホラズム朝へ大遠征したときには、交易商人たちが経済・情報面で全面的にバックアップした。モンゴル軍の連戦連勝は、シルクロード商人たちの情報網に支えられ、もたらされたものだった。

なぜモンゴル軍はヨーロッパを征服しなかったのか？

モンゴル帝国の創始者チンギス・ハンは1227年に息を引きとるが、その後

■モンゴル帝国の領域

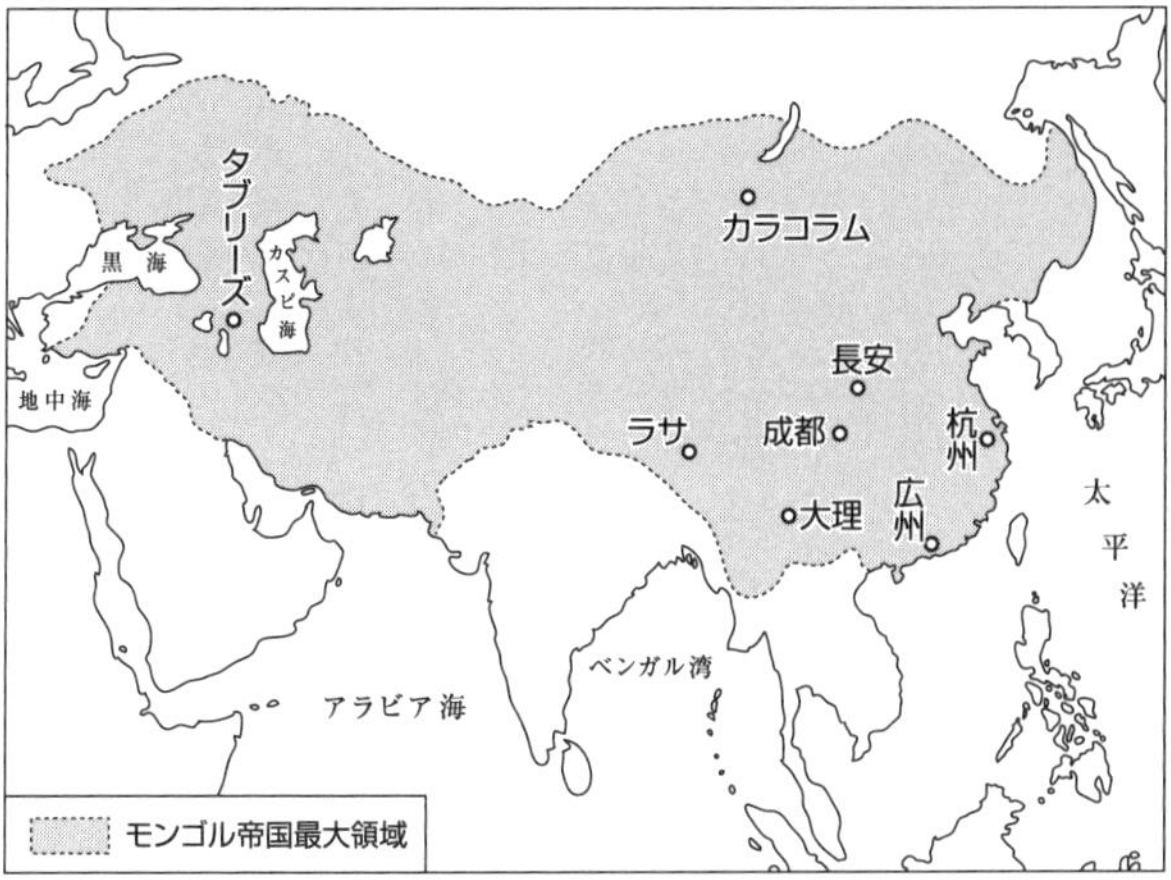

も、モンゴルの嵐は世界中で吹き荒れた。その猛威はアジアにとどまらず、ヨーロッパにもおよぶようになる。

1236年、チンギス・ハンの孫バトゥは、第2代皇帝オゴタイ・ハンにヨーロッパ遠征をまかされ、数万の兵とともに草原を西へ向かった。

遠征軍の向かうところ、敵はなく、ヴォルガ河畔からロシアに侵入したバトゥは、キエフ公国を壊滅させ、ロシアの主要都市を次々と攻略。当時のロシア全域を征服した。

1241年には、ワールシュタットの戦いで、ポーランド・ドイツの諸侯連合軍を破り、その2日後にはハンガリーに侵攻して、全土を支配・破壊した。

はっきりいって、モンゴル軍にとってヨーロッパの軍は敵ではなかった。軍事力や戦術が格段にちがっていたのである。

モンゴル軍は、厳格な指揮系統をそなえた「千戸隊」を組織して、集団で攻め込んだ。対するヨーロッパ軍は、名誉を重んじる騎士の集まりだから、集団戦をしない。そのうえ、30キロもの重い甲冑を身につけ、「我こそはどこそこの領主である」などという前口上を述べてから、ようやく戦いに入った。

そんなことで、機動力と組織力を身上とするモンゴル軍に勝てるわけがない。だから、モンゴルの侵攻がそのまま続いていたら、ヨーロッパもモンゴル帝国の一部になっていた可能性が高い。だが、歴史はそうならなかった。

1242年、モンゴル本国から「オゴタイ・ハンが死んだ」という連絡が入り、バトゥは次のハンを決める「クリルタイ」（族長会議）に参加するために、引き返さなければならなくなった。歴史には何があるかわからない、とはこのことである。おかげで、ヨーロッパは間一髪のところで救われたのだった。

明の艦隊がアフリカまで進出したのはなぜ？

ヨーロッパの大航海時代には、コロンブスをはじめ、偉大な航海者がいたことが知られるが、アジアにも、彼らにけっしてひけをとらない航海者がいた。明の鄭和（1371〜1434）である。

鄭和は、雲南省のイスラム教徒の家に生まれ、宦官として明の永楽帝に仕えていた。

永楽帝は外交政策を積極的に行った皇帝で、自らモンゴル遠征を行ったほか、南海の国々（東南アジア）にも使節を派遣して、情勢を探らせていた。そして、その報告をもとに、鄭和に大規模な南海遠征を行わせたのだ。

永楽帝の目的は、遠征地の征服ではなく、明の力を世界に示し、朝貢を求めることだった。

中国では「中華思想」にもとづき、周辺国の君主を臣下（王）として認めたうえで、貢ぎ物を持って来させ、それに返礼をするという「朝貢」を行ってきた。朝貢は政治的な儀礼であると同時に、重要な貿易活動でもある。

１４０５年、鄭和の指揮する大船団が、総勢２万８０００人もの人員を乗せて、上海近くの港を出発した。鄭和が指揮官に選ばれたのは、永楽帝の信頼を得ていたことはもちろん、彼がイスラム教徒だったためでもある。

南海の国々にはイスラム教徒が多く、彼らと交渉するには、鄭和は有利な人材だったのだ。

鄭和は、その期待にこたえて、１４０５〜１４３１年のあいだに、７回もの大航海を成功させた。１回目の航海では、チャンパー（ベトナム）、スマトラ、マラッカ、セイロンという航路をたどって、１４０７年のはじめにインドのカリカットに到着した。

２回目以降は、さらに足をのばして、ペルシア湾岸やアラビア半島はもちろん、最も遠い地点ではアフリカ東海岸（現ケニア）にまで到達している。

遠征の結果、明には30以上の国が朝貢することになった。

少数民族の清が広大な中国を支配できたのは？

満州の女真族が建てた清王朝は、少数民族による〝征服王朝〟である。17世紀初頭に成立した同王朝は、20世紀初頭のラストエンペラーの時代まで、3世紀にわたって中国を支配した。

なぜ少数民族が、それほど長いあいだ、数の上で圧倒的に多数を占める漢民族を支配できたのだろうか？

これは、「アメとムチ」の巧みな政策によるところが大きい。まず、「アメ」の政策として、清では「満漢同数官制」といって、政府の省庁に、満州人と同じ数のポストを漢民族用に用意した。これは、政府の要職をモンゴル人が独占した元朝とは明らかにちがう手法だ。

また、官吏登用法に科挙を採用して、漢人でも高い地位に出世できるようにし、漢人の学者を動員して、大がかりな文献編纂事業を行わせた。こうして、清が中国文化の保護者であることをアピールしたのである。

しかし、漢人におもねるだけでは、征服者としての威厳を保つことはできない。清は「ムチ」の政策として、風俗を厳しく取り締まり、思想を弾圧することをおこたらなかった。

香港がイギリス領になっていた理由は？

香港がイギリスから中国に返還されたのは１９９７年のこと。それ以前はというと、１世紀半以上ものあいだ、イギリス領になっていた。

香港がイギリスの手にわたったのは、中国が戦争で負けたからだ。

18世紀後半、イギリスは、ポルトガル、オランダなどを圧倒して、中国貿易を独占していた。

だが、清朝では朝貢貿易以外の貿易を認めておらず、貿易窓口も広州１港のみ。「公行」と呼ばれる指定の商人組合と交易できるだけだった。清朝には、「目下の国に恩恵を与えてやろう」ぐらいの意識しかなかったのである。

しかも、中国には貿易で必要とするものはとくになかったから、もっぱらイギリスが茶を輸入し、代価として銀を支払う格好になった。だが、これではイギリスが一方的に貿易赤字（入超）をかかえこむことになる。

そこで、イギリス商人たちは、中国で売れる商品はないかと知恵をしぼり、インド産のアヘンを中国に密輸することにした。

この秘策はズバリ的中。中国社会にアヘンが蔓延し、やがて、アヘンの輸入額が茶の輸出額を上回り、清朝の国庫にたまりつづけていた銀が流出しはじめた。

これに危機を感じた清朝は、1839年、アヘン2万箱を没収して焼却したうえ、アヘン貿易をやめなければ他の貿易も停止するという強攻策にふみきった。するとイギリスは遠征軍を派遣して、「アヘン戦争」（1840〜1842）を引き起こした。

だれがどう考えてもイギリスに非があるこの戦争では、イギリス国内からも反対の声があがったが、非があろうとなんだろうと、勝者が敗者を従わせることができることに変わりはない。

イギリスの圧勝に終わったこの戦争は、1842年の「南京条約」で終結し、香港島の割譲、広州をはじめとする5港の開港、公行の廃止、賠償金の支払いなどが取り決められたのだった。

7

なぜ、外国の古代彫刻が大英博物館にそろっている？

近現代

This book collects a series of
behind-the-scenes incidents
from world history.

「君臨すれども統治せず」のはじまりは？

現在、日本で採用されている「議院内閣制」は、もともと18世紀イギリスではじまった制度を手本にしたもの。

議院内閣制は、政府（内閣）は議会の信任にもとづいて存在するという制度で、これがあるから国民は議会を通して政府を監視できる。もっとも、この制度が誕生したのは、高邁な理念からではなかった。

イギリスでは、17世紀にピューリタン革命が起こって王政が打倒されたが、その後まもなく王政復古でスチュアート朝が復活する。

しかし、スチュアート朝は1714年のアン女王の死とともに断絶、かわりにイギリス王室の血を引くドイツの名門貴族ハノーヴァー選帝侯が、ジョージ1世としてイギリス王に即位した。

ところが、この新王ジョージ1世はすでに54歳と高齢だったうえ、ドイツ出身なので、英語を話すことができなかった。さらに、イギリス統治に関心を示さず、ほとんどドイツで暮らしていた。

この事態に、イギリスの有力者たちは困り果ててしまう。とはいえ、誰かが政治を前に進めないことには、国が傾いてしまう。

そこで、国王不在のままでも政務を進める方法を考え出したのだ。

まず、それまで「密室」と呼ばれてきた長官会議を改革し、「内閣」として行政をゆだねた。また、議会で多数を占める政党の党首を「閣議の主宰者＝首相」に選ぶことにした。最初の首相は、ホイッグ党のロバート・ウォルポールである。

そこで、王の代わりを担うことになった首相と内閣は、政治上の責任を議会に対して負わなければならないことになった。これが、「責任内閣制」のはじまりである。

ただし、議会と内閣で政治システムが完結してしまうと、国王の存在価値がなくなってしまう。そこで、「国王は君臨すれども統治せず」という有名なうたい文句をつくって、国王を奉る理屈をつけたのである。

後進国のプロイセンが、ヨーロッパの強国になれたのはなぜ？

プロイセンが、神聖ローマ皇帝から王号を授かって、王国として歩みはじめたのは、1701年のこと。どのヨーロッパ列強に比べても歴史は浅く、三流国以外のなにものでもなかった。

ところが、プロイセンは、「兵隊王」とあだ名されたフリードリヒ・ヴィルヘルム1世（1688～1740）の時代に、強大な常備軍を作って絶対王政を確立。その息子フリードリヒ2世（大王、1712～1786）のもとで大きく飛躍する。

プロイセンをヨーロッパ列強と肩を並べるまでに押し上げたのは、「オーストリア継承戦争」（1740～1748）に勝利したことである。

フリードリヒ大王がプロイセン王に即位した1740年、神聖ローマ皇帝カール6世が没して、オーストリア・ハプスブルク家の男子後継者がとだえた。そのため、女性であるマリア・テレジアが、同家の男系長子相続の慣習を破って、家督を継いだ。

これにもっとも強く反対したのが、フリードリヒ大王。同年、彼は当時オーストリア領だったシュレジエン地方の相続権を主張して占領した。

以後、各国入り乱れて、ハプスブルク領を奪い合った戦争をオーストリア継承戦争という。この戦争の結果、プロイセンは、オーストリアでもっとも資源豊かなシュレジエン地方の獲得に成功し、国力を飛躍的にのばした。

フリードリヒ大王は、その後、マリア・テレジア率いるオーストリア、フランス、ロシアといった強国と「七年戦争」（1756〜1763）で対決するが、苦しい戦況を強力な軍事組織で耐え抜き、シュレジエンの領有を確定させた。こうして、プロイセンはヨーロッパにおいて列強の一角を占めるようになったのである。

産業革命は、なぜイギリスではじまったのか？

産業革命が18世紀後半のイギリスではじまったのは、偶然ではない。まず、イギリスは17世紀以来、オランダ、フランスとの植民地争奪戦に次々と勝ち、世界各地に広大な植民地を築いていた。これらの植民地は、イギリスに莫大な利益をもたらし、それが産業革命の資金源になったのだ。

産業革命の原動力になったものとして、もうひとつあげられるのが、インド産の綿布だ。「キャラコ」と呼ばれたインド産の綿織物は、17世紀後半に、イギリス東インド会社によってイギリスに持ち込まれると、たちまち大ブームを呼ぶ。やわらかく、吸湿性に富み、何度でも洗濯できるところが、その人気の秘密だった。

いっぽう、品質がよく値段も安いキャラコの登場で、イギリスの伝統産業である毛織物はさっぱり売れなくなった。そこで、イギリス議会は、1770年にインド産綿布の国内輸入を禁止。以降、キャラコはもっぱら輸出用となり、西アフリカで大量に売られて、黒人奴隷と交換された。また、その人気はヨーロッパ市場にも広がり、各国で需要が高まった。

そうなると、イギリスの業者は、国内で綿布を製造できないものかと考えるようになる。しかし、インドの労賃はイギリスの3分の1以下。しかも、長い伝統をもつインドのキャラコは品質面でもすぐれている……。

そんな不利な条件を克服すべく登場したのが、綿花を紡いで糸にする紡績機や、糸から織物を作る力織機などの発明品だ。

さいわい、イギリスには、新しく機械を導入できるだけの資金力があった。こうして、イギリスは、綿糸と綿布の大量生産体制を築き、品質でも価格でもインド製品を圧倒するようになった。

これが、のちに世界に伝播する産業革命の幕開けである。

どうしてアメリカは大英帝国に刃向かった？

アメリカ合衆国の歴史は、もともとネイティブ・アメリカンが住んでいた土地に、1600年代、イギリス人が移住、次々と植民地を建設したことにはじまる。18世紀前半には、13の植民地が成立して人口は100万を越えたが、あくまで本国イギリスが主人で、植民地はその従者。18世紀半ばになると、イギリス政府はその立場を利用して、植民地への課税を強化するようになった。

当然、植民地側はその政策に不満をもつ。植民地に移ってきた人々は、もともと独立心旺盛であり、早くから植民地会議の設置や、大学の建設、新聞の発行などに熱心だった。本国の都合で決まった課税にも、たちまち反対の声があがった。

とくに、1765年に「印紙法」が出たときには、「代表なくして課税なし」(本国議会に代表を出していないから、課税もされない)をスローガンに、大規模な反対運動が起きた。しかし、本国はその声に耳を貸そうともしなかった。

こうして、本国と植民地側との緊張は年々高まり、1773年の「茶法」でピークに達する。茶法は、過剰な紅茶の買い付けで経営危機に陥った東インド会社を救うために、同社の茶を無税で植民地に販売できるという法律だった。

むろん、植民地の商人にとって、安価な茶を独占的に売る業者の登場がうれしいわけがない。同年12月、ボストンに住む急進派が、紅茶を満載して入港した東インド会社の商船3隻を襲撃。342箱の紅茶を海に投げ捨てた。これが、有名な「ボストン茶会事件」である。

この事件をきっかけに、本国はボストン港を閉鎖、植民地の自治を制限するなどの実力行使に出た。こうして、両陣営の対立は激化、「独立戦争」につながっていくのだ。ちなみに、現在でも、イギリス人に紅茶党が多く、アメリカ人にコーヒー党が多い遠因には、この植民地時代の紅茶ボイコット事件がある。

少数のワシントン軍はなぜイギリスの大軍に勝てた？

植民地13州が立ち上がった独立戦争だったが、この時点で、植民地は正規の軍隊をもっていなかった。それでも、独立をめざす彼らの士気は旺盛だった。やがて彼らは、「ミニットマン」と呼ばれるようになる。ふだんは、おのおの仕事をもっているが、いざというとき〝1分間〟（ワン・ミニット）で兵士に早変わりしたことから、こう呼ばれたのだ。

1775年4月、このミニットマンとイギリス軍が、ついに武力衝突にいたった。翌月のフィラデルフィアでの大陸会議では、大陸軍が組織されることになり、ジョージ・ワシントンが最高司令官に任命された。

そのとき、組織されたワシントン軍は1万2000人。対するイギリス軍は3万人である。

数でも圧倒的な差をつけられているうえ、ワシントン軍は、自前の銃を持って集まった農民や商人たちの集団。対するイギリス軍は、世界最強を誇る正規軍である。戦いは、イギリスが勝って当たり前のはずだった。

じっさい、ワシントンは1776年、ニューヨークで大敗。翌1777年9月には、フィラデルフィアの奪還に失敗。その後、野営地での生活が6か月間続くが、厳冬のなかでのテント生活は惨憺たるもので、6か月間でなんと3000人もの兵士を失ってしまった。

しかし、この試練を耐えた兵士たちの士気は弱まるどころか、むしろ高まった。彼らの独立への思いは本物だったし、敗戦から学ぶ力をもっていた。しかも、彼らの勇戦ぶりを見たフランスが1778年に、スペインが1779年に、オランダが1780年にアメリカ側と同盟し、義勇兵も数多くかけつけるようになったのだ。

いっぽう、イギリス軍は正規軍とはいえ、実態はドイツから雇い入れた傭兵がその多くを占めていた。士気はさほど高くはなかったのだ。

士気を高く保ち続けたワシントン軍は、1781年、フランス軍と共同して、ヨークタウンのイギリス軍を包囲・降伏させた。

こうして、植民地側の勝利は不動のものとなり、1783年に結ばれたパリ条約で、独立を達成したのだった。

オーストラリア大陸がイギリスの流刑植民地になったのは？

1770年4月、現在オーストラリアとして知られる南半球の大陸に、イギリス人の探検家ジェームズ・クックが上陸した。

そこは、現在のシドニー郊外の湾で、さまざまな見なれない植物を採取できたことから、ボタニー（Botany《植物》）湾と名づけられた。

その15年後の1785年。今度はその新大陸に向けて、フランスの調査隊が動き出す。1772年にクックの報告書がフランス語で出版されると、ルイ16世が太平洋に関心をもつようになり、本格的な探索を計画したのだ。

しかし、このフランスの動きをイギリスは警戒。同年、イギリス政府はクックが上陸したニュー・サウス・ウェールズ（現在シドニーを州都とする）の領有宣言を公表し、１７８８年、11隻の船団をポーツマス港から送り出した。

一行がボタニー湾に上陸したのは、１７８９年1月26日のこと。この日は、今日でも「オーストラリア・デー」として祝日になっている。

そのとき、イギリス船団は、オーストラリア大陸を流刑地にするつもりでやってきていた。アメリカが独立してしまったので、代わりの流刑地が必要になったのだ。

初期移民団の中には、７００人あまりの流刑囚が、刑期が終われば自由人になれるという条件で連れてこられていた。その後、約80年間に約16万人の流刑囚がオーストラリア大陸に渡った。

どうしてフランスの人々は革命を起こす気になった？

アメリカが独立を勝ちとった頃、その独立を支援したフランスのブルボン朝は、いつ革命が起きてもおかしくない危機的な状態にあった。

まず、アメリカの独立戦争に20億ルーブルという莫大な援助をした結果、国庫が火の車状態に陥った。フランスの財政は、ヴェルサイユ宮殿を建設したルイ14世の時代からすでに傾き始めていたが、それにオーストリア継承戦争（１７４０～１７４８）、七年戦争（１７５６～１７６３）、アメリカ独立戦争（１７７５～１７８３）と続いた戦争の出費が重くのしかかったのだ。

また、旧体制（アンシャン・レジーム）に対する市民の不満もつのっていた。そんなときに、アメリカの独立戦争で「自由・平等」が宣言されたとなると、フランス国民もだまっていられなくなる。国民の不満は、１７８８年の凶作でパンが値上がりしたときにピークに達した。

翌１７８９年、税収アップをねらうルイ16世は、特権身分者にも課税しようと、長く開かれていなかった「三部会」（三つの身分の代表者で構成される）の召集を決めた。

しかし、特権身分者たちが自分たちに有利な議決方法を要求したことから、第三身分（平民）は単独で「国民議会」を結成。この動きを政府が武力弾圧しようとしたため、市民の怒りはさらにヒートアップして、バスチーユ監獄の襲撃（7月14日）におよんだ。

その後も、市民の熱狂はおさまらず、10月には主婦ら数千人が、王が避難していたヴェルサイユに行進し、王をパリに連れ戻した。王妃マリー・アントワネットが「パンがないのなら、ケーキを食べればよいのに」と語ったとされるのは、このときのことだ。

1791年には、国王一家が国外逃亡をはかるが失敗。こうして、国民をすっかり失望させた王と王妃は、ギロチンにかけられた。革命が当初、立憲王政の方向に進んでいたにもかかわらず、その方向に進まず、激化したのは、王と王妃の不誠実な対応が、民衆を憤激させたからだったのだ。

ルイ16世が国外逃亡に失敗した原因は？

フランス革命期、革命の先行きに不安をもった国王一家は国外逃亡をはかるも、国境近くで捕まってしまう。それが「ヴァレンヌ逃亡事件」（１７９１）だ。

この逃亡が失敗に終わったのは、国王夫妻がよく言えばお気楽、悪く言えば判断力がまったくなかったからといえる。

国王一家は、１７９１年6月20日の深夜、荷物をまとめ、軟禁状態にあったパリのテュイルリー宮殿を馬車であとにした。向かう先は、王妃マリー・アントワネットの祖国オーストリアである。

だが、じつのところ、この脱出は予定日よりすでに1か月もズレこんでいた。というのは、王妃が脱出用の馬車のサイズや内装を特注していたからである。

脱出の当日、国王一家が乗り込んだ大型の馬車には、銀食器やワインの樽、その他もろもろの品が積まれていた。そのうしろには、女官2人を乗せた小型馬車、まえには騎馬の先導が2人。これでは、自ら正体をばらしているようなものだ。

荷物の積みすぎのため、馬車はスピードを出せなかった。一行がパリ市門を出たときは、すでに予定より2時間遅れていた。

その間、国王が王宮にいないことを知った議会が、追っ手を送り出していた。身軽な彼らは、国王の馬車にどんどん近づいた。

いっぽう、ルイ16世一行といえば、パリを離れると、馬車を止めさせて子どもを遊ばせるなど、じつにのんびりしたものだった。結局、一行は予定より4時間も遅れてヴァレンヌに着いた。この遅れは、事前に打ち合わせていた憲兵との行きちがいを生じさせる。王の到着を待たずに、彼らは解散していたのだ。

しかも、その事情を国王一行が地元の人にたずね歩いたものだから、たちまち正体がバレてしまう。

結局、国王一行は追っ手に捕らえられて、パリに連れ戻される。事件を知った国民は、国王への不信をさらにつのらせた。その結果、それまで国王擁護の立場をとっていた人々さえも態度を変え、王と王妃はギロチン台に、また一歩近づくことになったのである。

なぜ、外国の古代彫刻が大英博物館にそろっている？

世界最大を誇るロンドンの大英博物館には、「エルギン・マーブル」と呼ばれる古代ギリシアの彫刻群を展示した一角がある。

エルギン・マーブルは、アテネのパルテノン神殿を飾っていた大理石のレリーフや彫刻のコレクションで、大英博物館の超目玉展示物。このコレクションを「エルギン・マーブル」（マーブルは大理石のこと）と呼ぶのは、今から約200年前、これらをアテネからイギリスに持ち込んだのが、エルギン伯（1766〜1841）だったからだ。

エルギン伯は、大英帝国の在トルコ大使をつとめていたとき、当時オスマン帝国の支配下にあったギリシアを訪れて、パルテノン神殿を目のあたりにした。パルテノン神殿は、オスマン帝国の弾薬庫として利用されていた関係で、ヴェネチア軍の砲撃を受けて大破していたが、それでもその美しさは失われていなかった。

エルギン伯は、たちまちその建築に魅了され、トルコ政府の許可を得て、神殿の周囲にある大理石の彫像やレリーフの模造品を作った。さらに、1801年、エルギン伯は、トルコ政府要人との人脈を使って「アクロポリスでの測量、調査、発掘、さらに彫刻や碑文の持ち出しを認める」という勅許状を手にし、模造品を作るためといって彫像を掘り起こし、壁面をはぎとった。そして、それらを強引にイギリスまで運んでしまったのだ。

彼のやったことは泥棒同然の行為だったが、トルコ政府は、異民族・異教徒のギリシア文化を重視していなかったため、この略奪行為を黙認した。

しかし、イギリスで「他国の重要な文化遺産を盗むとはけしからん」という声が高まり、エルギン伯はついに議会で非難されるにいたった。

結局、彼は議会に命じられるままに、コレクションを大英博物館に売却せざるをえなくなった。買取価格は、わずか3万5000ポンド。大英博物館は、ずいぶんおトクな買い物をしたことになる。

ちなみに、大英博物館は、このコレクションのほかにも、エジプトのミイラやロゼッタストーンなど、旧植民地などから持ち帰ったものが多数所蔵されている。

スイスが「永世中立国」になった経緯は?

スイスの歴史をふりかえると、かつては戦争の危険にさらされ続けた国だったといえる。ドイツ、フランス、イタリアといった強国に囲まれ、昔はいつ攻め込まれてもおかしくない状態にあったのだ。

もちろん、スイスは、天然の砦、アルプス山脈に囲まれている。ところが、その地形は他国にとっても魅力的なものだった。その地を手中におさめれば、他国との戦争を有利に進められる。だから、この地域は、古くから諸国間の紛争が起きやすい場所だったのだ。

スイスの人々もそのことをよく知っており、早くも17世紀(1674)には、外交的に「武装中立」の立場を明確に宣言し、他国どうしの戦いには参加せず、他国の軍隊が領土を通過することも認めないという立場をとるようになった。

その立場は、ナポレオン後のヨーロッパ体制について話し合われた「ウィーン会議」(1815)で国際的に認められた。こうしてスイスは「永世中立国」となり、その体制が、第1次、第2次世界大戦を経た現在まで続いているわけだ。

ただし、スイスが戦争を放棄している国と考えるのは、まちがいである。

現在、スイスには、近代的で高度な装備を誇る軍隊があり、「良心的兵役拒否制度」はあるものの、国民には兵役の義務が課されている。なお、スイスは永世中立国の立場から、戦後ずっと国連に加盟してこなかったが、２００２年、国民投票にもとづいて１９０番目の加盟国になっている。

ナポレオンの連戦連勝のカギはどこにあった？

ナポレオン（１７６９〜１８２１）といえば、とにかく強いというイメージがある。貧乏貴族から軍事センスを武器に出世を重ね、ついには皇帝としてヨーロッパの大半を手中におさめた男だ。

それにしても、なぜナポレオンはあれほど強かったのだろうか？

これには、いくつかの理由がある。もちろん、彼個人の軍事センスやカリスマ性は見逃せないが、ナポレオンの連戦連勝の秘密は、むしろ彼が率いた軍の精強さにあったといえるのだ。

フランス革命後のナポレオン戦争では、多くのフランス人が、革命によって手に入れた土地を失いたくない、という気持ちのもとに結束し、士気を高く保って戦った。もし、ナポレオンが負ければ、フランスに王政が復活し、亡命貴族たちが戻ってきて、せっかく手に入れた土地を取りあげられてしまう。それが嫌なら、必死で戦うしかなかったのだ。

また、フランス軍が高い機動力を発揮できた背景には、もうひとつ、物資を現地調達できたという事情があった。

ナポレオンは、自由・平等というフランス革命の精神をかかげて敵地にのりこみ、現地の人々の心をつかんだ。フランス以外の国々では、農民や市民は、貴族・領主に抑圧されたままだった。だから、「圧制から民衆を解放しよう」というナポレオンに、本来は敵地であるはずの人々も協力的だったのである。

ワーテルローの戦いのナポレオンの敗因は？

ロシア遠征の失敗でエルバ島に追われていたナポレオンは、1815年3月、島を脱出してパリに入り、皇帝の座に返り咲いた。「百日天下」のはじまりである。

ナポレオンの復活にヨーロッパ諸国は驚き、ただちにイギリス、プロイセンなどからなる対仏連合軍が結成された。ナポレオン最後の戦いである「ワーテルローの戦い」に事態はすすむことになる。

フランス人のあいだでは、ナポレオンは相変わらずの人気で、兵士の士気も高かった。だが、ナポレオンはこの戦いで負け、歴史の表舞台から完全に姿を消すことになる。

敗因はさまざまあるが、最初に戦ったプロイセン軍を徹底的に叩けなかったことが大きい。

ワーテルローの戦いの2日前、ナポレオンは連合軍が集結しないうちにと、まずプロイセン軍と戦った。ナポレオンは、退却するプロイセン軍を3万の兵で追撃したが、ふり切られてしまう。そして、6月18日の決戦の日。前日からの雨で地面がぬかるみ、ナポレオンお得意の砲兵隊を思うように使えない。そこで彼は、部下の意見を退けて、戦闘開始を昼までのばすことにした。

しかし、これはフランス軍の命取りになる重大な判断ミスだった。劣勢に立っていたイギリス軍は、プロイセン軍の到着を今か今かと待っていたからである。

正午過ぎ、ようやく戦闘がはじまるが、やはり砲兵隊の動きはにぶかった。ナポレオンは、よりぬきの騎兵に左翼からの突撃を命じたが、この作戦も失敗に終わる。イギリス軍が、フランス軍の動きを読んで、前線に落とし穴を作っていたからだ。フランスの騎兵は、この単純な作戦にまんまと引っかかって、次々と大穴に落ち込んだ。ナポレオンは、それでも粘り強く軍を指揮しつづけた。

だが、夕方になって、ワーテルローにプロイセン軍が到着すると、勝敗は決まった。イギリス軍との戦闘で疲れきっていたフランス軍は、新たな敵を見て総崩れになってしまったのだ。

負けたナポレオンは、大西洋の絶海の孤島セント・ヘレナに流され、再びヨーロッパの地を踏むこともなく、同地で生涯を終えた。

19世紀のはじめに、中南米の植民地が次々独立できたのは？

大航海時代以来、長くヨーロッパの植民地だったラテンアメリカでは、19世紀になって、独立運動がにわかに活発になった。これは、フランス革命とナポレオン戦争で育った自由と平等の考えが、中南米にも広まった結果である。

最初に独立をはたしたのは、カリブ海のフランス領ハイチ。「黒いジャコバン」と呼ばれたトゥサン・ルーヴェルチュールが指導者になって、1804年に独立を勝ちとり、ラテンアメリカ最初の共和国になった。

これに続くように、南アメリカのスペイン領植民地で独立運動が盛んになる。先頭に立ったのは、北部ではシモン・ボリバルであり、南部ではサン・マルティンだ。シモン・ボリバルは、独立を達成するには、クリオーリョ（現地生まれの白人）の協力だけでなく、メスティーソ（先住民と白人との混血）やムラート（白人と黒人との混血）の支持が必要だと考え、奴隷解放運動にのりだした。そして、1830年までにベネズエラ、コロンビア、ボリビア（ボリバルの名にちなむ）、エクアドルの独立を達成する。

いっぽう、サン・マルティンが指導する南部でも、アルゼンチン、チリ、ペルーが次々に独立した。さらに1819年にはメキシコが、1822年にはポルトガル領ブラジルが独立をはたした。

このように、ラテンアメリカ諸国が相次いで独立できたのは、国際情勢が独立運動に有利に展開したことが大きかった。

ウィーン体制を維持したいオーストリアの宰相メッテルニヒは、五国同盟（英露墺普仏）を動かして一連の運動に干渉していたが、1822年、イギリスの外相カニングが同盟を脱退してしまう。ラテンアメリカを新市場として狙っていたイギリスにとっては、スペインの支配がおよばないほうが都合がよかったのだ。

また1823年には、ヨーロッパの動きを警戒していたアメリカ合衆国が「モンロー宣言」を発表して、ヨーロッパとアメリカ大陸との相互不干渉を唱えた。こうした列強の思惑が、中南米諸国独立の助けになったのだ。

「七月革命」「二月革命」ってどんな革命？

ナポレオン戦争が終わったあとのフランスは、王政が復活し、ルイ18世（在位1814〜1824）とシャルル10世（在位1824〜1830）による反動政治が推し進められた。市民の選挙権が大きく制限され、革命中に土地を没収された亡命貴族には多額の賠償金が支払われた。

しかし、フランスの人々のあいだには、すでに自由や平等の思想が根づいていて、議会ではブルジョワジー（有産市民）を中心とする反政府派が勢力を増していた。

1830年7月、国民の不満をそらすためにアルジェリア出兵を行った王は、反対派が多数を占める議会を強引に解散した。だが、これは火に油を注ぐ結果になり、27日、民衆はついに決起して、パリの街頭にバリケードを築き始めた。そして「栄光の3日間」といわれる戦闘のすえ、国王軍を破った。これを「七月革命」といい、議会は自由主義者であるオルレアン公ルイ・フィリップを新国王にむかえた。

七月革命ののち、都市の裕福な商人たちの不満は急速に解消されたが、あいかわらず選挙権のない労働者や農民のあいだでは、いぜん不満がたまっていた。

以後、革命はブルジョワを主体とする「市民革命」（ブルジョワ革命）から、労働者を主体とする一種の階級闘争へとかわっていく。

1848年2月22日、パリで行われていた普通選挙を求める集会「革命宴会」が武力弾圧されると、ついに労働者、農民、学生の怒りが爆発して、デモ、ストライキ、武装蜂起へと発展した。事態の沈静化に失敗したルイ・フィリップはイギリスへ亡命し、共和政による臨時政府が発足した。これを「二月革命」という。

二月革命の影響は、ドイツやオーストリアなどにも飛び火し（三月革命）、ナポレオン戦争後に築かれた保守反動の「ウィーン体制」は崩壊することになった。これらの動きは、1848年の春にたて続けに起こったことから、総称して「諸国民の春」と呼ばれている。

ゴールドラッシュで一番儲かったのは誰？

1848年1月、カリフォルニアの農場の雇われ人だったジェイムズ・マーシャルが、まったくの偶然から、川で砂金を発見した。

金が採れるという噂は、この年の暮れまでに各地に広まっていき、一攫千金を夢見る人々がカリフォルニアに殺到しはじめた。

とくに、翌49年に駆けつけた人が多かったことから、彼らはforty-niners《フォーティナイナーズ》と呼ばれる。現在、サンフランシスコ市に本拠地をおく同名のアメフトチームの名は、これに由来している。

ゴールドラッシュの結果、カリフォルニアの人口は、1852年には20万人にまで達するほどになり、かつて無人の野に近かったのがうそのように開発が進んでいった。

しかし、彼らの一攫千金の夢は、一部の幸運な人間をのぞけば、かなわないままに終わった。わずか2、3年のうちに、地表の金はすべて採りつくされ、個人の力では、どうにもならなくなったのである。

大もうけしたのは、むしろ「フォーティナイナーズを相手に商売を始めた人」のほうだった。たとえば、街の酒場や宿屋の経営者や、金だらいやザルのような砂金とりに必要な道具をあつかった商人たちである。

もっとも、彼らもやがて同業者との競争にさらされるようになったので、本当に大金持ちになれたのは、ほんのひと握りでしかない。

日用品を売って大成功をおさめた商工業者の代表格は、ジーンズの生みの親リーバイ・ストラウスだろう。

今では「LEVI'S」というジーンズ・メーカーは世界中で知られているが、ジーンズというはきもの自体、このリーバイ・ストラウスが発明したものだった。

ジーンズのルーツは、彼が金鉱掘りの男たちのために作った丈夫なズボンなのである。

それがいまや、老若男女をとわず世界中ではかれているのだから、ジーンズこそ、ゴールドラッシュ期の最大の発明品といっていいかもしれない。

血で血を洗う「南北戦争」はどうして起きた？

19世紀半ばの「アメリカ南北戦争」（1861～1865）は、アメリカという国を二つに分けていたかもしれない悲惨な内乱だった。

死傷者100万人というのは、アメリカ史上最悪の数字で、しかもそれは、同国民どうしが血で血を洗う戦いの結果だった。もし、戦争の勝敗がちがっていたら、アメリカの歴史は、今とはまったくちがうものになっていただろう。

南北戦争の根本的な原因は、すでにアメリカへの植民がはじまったときから内在されていたといえる。

ヴァージニアをはじめとする南部諸州は、気候と土壌に恵まれ、大農場経営に向いていた。

そこで生産された綿花は、イギリスの綿工業を支え、南部は北部よりもイギリスとの結びつきを強めた。

いっぽう、気候や土壌に恵まれない北部では、商工業が発達し、イギリスの工業と競合関係にあった。つまり、北部と南部の経済構造は、当初から対立的なものだったのだ。

奴隷制に対する考え方も、北部と南部ではまったくちがっていた。南部は、大農場を経営するために奴隷労働力を必要としていたが、北部では雇用の面からも人道の面からも、奴隷制は否定された。それで、連邦に新たな州が加わるたびに、そこが「自由州」になるか「奴隷州」になるかで激しくもめるようになったのである。

この問題は、1820年に成立した「ミズーリ協定」（北緯36度30分以北の州を自由州、以南の州を奴隷州にするというもの）によって、一応は解決したかにみえ

■南北戦争

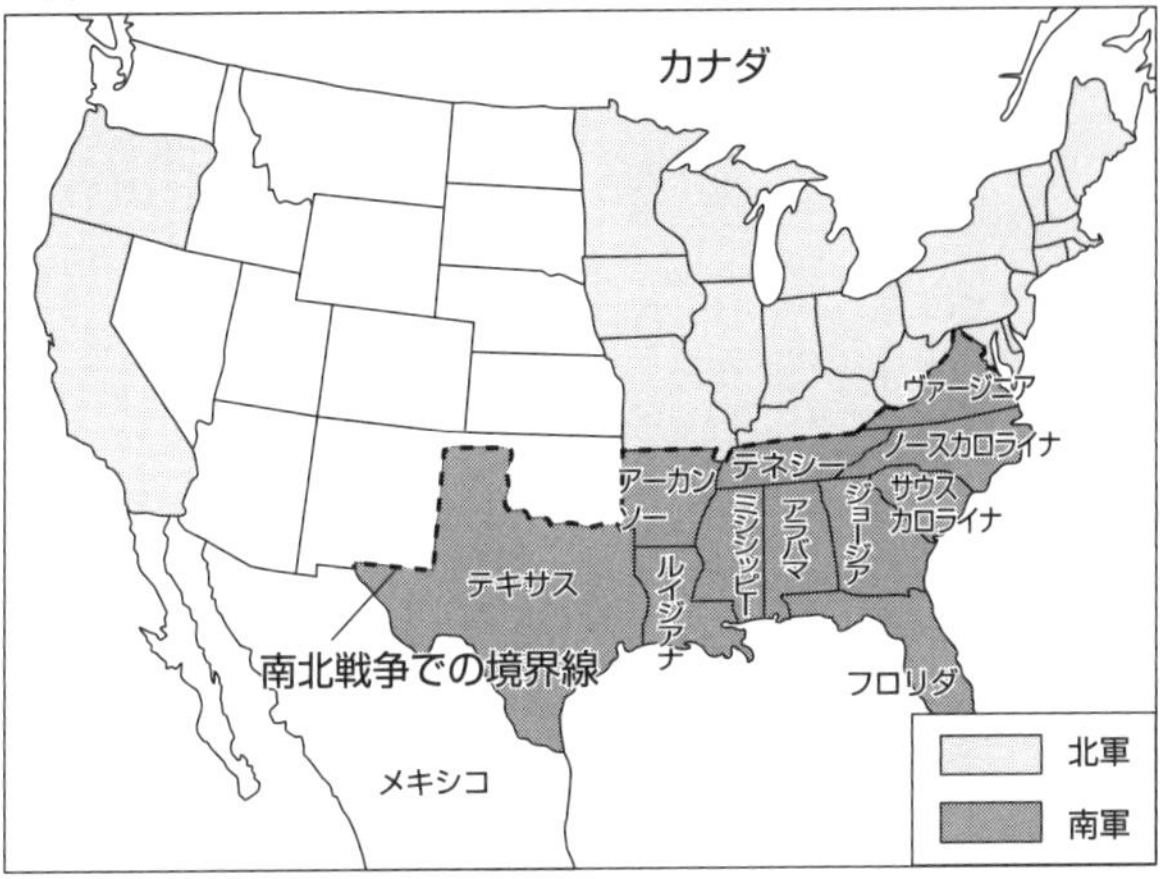

た。しかし、１８５４年、奴隷制の可否は住民投票で決めることができるとする「カンザス・ネブラスカ法」が成立し、前の協定は破棄されてしまう。

１８６０年、奴隷制問題を最大の争点とする大統領選挙で、奴隷制拡大を阻止する立場のリンカーンが当選した。しかし、それを受け入れられない南部諸州は、彼の着任と同時に「アメリカ連合国」を結成して、連邦から抜けてしまう。

こうして、真っ二つに分かれたアメリカは、１８６１年４月、南北戦争に突入する。リンカーンの「奴隷解放宣言」で、内外の支持を集めた北部が最終的に勝利し、アメリカは辛くも分裂の危機をのりこえたのである。

列強が植民地拡大に走らざるをえなかった理由は？

19世紀後半、次々に植民地を獲得し、帝国主義の先頭を走ったのはイギリスだった。イギリスを植民地政策に駆り立てたのは、20年以上も続いていた先の見えない不況だった。

19世紀後半、ヨーロッパを不況が襲った。スエズ運河の開通、鉄道網の整備などによって、アメリカ大陸、ロシア、インドなどの安価な農産物が大量に市場に流れ込むと、ヨーロッパの農業は大打撃を受ける。

さらに、産業革命によって工業生産力が飛躍的に高まったのはいいが、やがて工業製品が市場に余るようになってしまった。不況の到来である。

しかし、そもそも18世紀末からの産業革命で、世界経済をリードしたのは、イギリスだった。先駆者ほど、状況が変わったときに、変化への対応が遅れるのは、歴史が教えるところ。イギリスも、かつての〝成功モデル〟に足をとられ、改革の時代に乗り遅れてしまったのだ。

不況とはいえ、かつての栄光の余慶で資本力はある。しかし、国内の産業は疲弊してしまって、投資する先がない。そこで、目を向けられたのが海外だった。石油ゴム、銅、錫などの新たな天然資源、安価な労働力、そして未開拓の市場。長期の不況を抜け出すために、イギリスはいっそうの植民地獲得に活路を見いださざるを得なかったのだ。

そうなると、他国も黙ってみているわけがない。すぐにフランス、ドイツ、イタリア、ロシア、そして日本が後を追う。19世紀後半から、20世紀前半にかけて、世界は列強の陣取りゲームの舞台になっていった。

まず、イギリスとフランスがアフリカ大陸を奪い合い、東南アジア諸国をイギリス、フランスとオランダが奪い合い、サモアやハワイにアメリカが手を伸ばし、中国をロシアやイギリス、日本が奪い合った。

こうして、世界中の地図を塗り替えた帝国主義時代だったが、20世紀前半、二つの世界大戦でヨーロッパ諸国が疲れ果てると、かつての植民地は次々と独立することになった。

ドイツ人のエカテリーナ2世が女帝となったのは?

16世紀、イワン雷帝の時代のロシアはまだ、西欧諸国からは東方の辺境国と思われていたが、17世紀、ピョートル大帝が西欧化をめざす大改革をすすめ、東方の強国、大国として急浮上する。そして、18世紀後半、エカテリーナ2世が登場し、ロシアはさらに強大化する。

彼女は34年間もロシア帝国に君臨したが、もともとはドイツ人であり、ロシア王朝の血を一滴もひいていなかった。そんな彼女がなぜ皇帝の座につき、君臨することができたのだろうか?

彼女は1729年、ドイツ北西部の小国に生まれた。一応は貴族の出身だったが、大国ロシアの妃に迎えられるほどの高貴な家柄の出身でもなかった。そんな彼女を皇太子妃に選んだのは、彼女の前の女帝エリザベータだった。彼女は、甥で皇太子のピョートルの結婚相手を探すさい、最初はプロイセンのフリードリヒ大王の娘に注目する。しかし、フリードリヒは、ピョートルの悪評を耳にしていたため、これを断り、代わりに臣下の娘を推薦した。それが、ゾフィーだった。

そうして1745年、ゾフィーはピョートル皇太子と結婚。エカテリーナと名をかえ、ロシア正教に改宗し、ロシア語やロシアの風習を学びはじめた。

1761年、女帝エリザベータが亡くなると、ピョートルが皇帝として即位する。

ピョートル3世となった彼は、即位して、すぐにとんでもない行動に出る。当時のロシアは、七年戦争でフランスなどとともにプロイセンを追い詰めていたのだが、ピョートル3世はいきなりプロイセンと和睦したのである。ピョートルは、フリードリヒ大王を尊敬し、その気持ちを表すため、ドイツを助けたのだ。

その国益に反する行為は、軍の不満に火をつけた。同年、近衛部隊によるクーデターがおき、彼はわずか在位半年で退位させられ、エカテリーナが即位した。ピョートルは1週間後、近衛兵によって殺害された。エカテリーナは関与を否定したが、真相は藪の中だ。

そうして、即位したエカテリーナ2世は、ロシアの近代化をはかる。対外的には、南方ではオスマン帝国と戦い、黒海沿岸とクリミア半島を獲得。また、西方では、プロイセン、オーストリアとともに3回にわたるポーランド分割を強行し、かつての大国ポーランドの領土を奪い尽くす。そのとき、ウクライナも完全にロシアの支配下においた。

しかし、1773年には「プガチョフの反乱」が起きる。エカテリーナは、この反乱を鎮めるのにロシア軍の主力を充て、多くの犠牲者を出す。この乱を境に、彼女の啓蒙的・自由主義的な姿勢は影をひそめ、貴族に農奴所有の独占権を与えるなど、反動的な路線を歩むことになった。

世界初の社会主義革命は、どうやって起きたのか？

1917年、ロシアで世界初の社会主義革命が起きた。なぜ、ロシアで起きたのか、その背景を探ってみよう。

まず、当時のロシアは、ロマノフ朝による専制（ツァーリズム）のもと、近代化が遅れていた。地方では農民の暮らしはいっこうによくならず、都市部では工場労働者が増えるなか、資本家と労働者の貧富の差が拡大していた。そうした社会変化に対して、ロマノフ朝は有効な対策を取ることができなかった。そこへ、第1次世界大戦が勃発し、多くの農民が戦場に送られた。農業生産力は低下し、食品価格は高騰し、開戦後の3年間でパンの値段は5倍にも跳ね上がった。

そうした戦争インフレに対して、民衆はデモとストライキで抗議した。1917年3月8日、首都ペトログラードでは、約20万人の民衆が「戦争反対」や「パンをよこせ」というスローガンのもと、デモやストライキに参加した。政府は事態を収拾できず、労働者と兵士による評議会「ソヴィエト」が、事実上、首都の支配権を握った。ニコライ2世が退位し、3世紀におよぶロマノフ朝支配に終止符が打たれた。これが「二月革命」（ロシア暦では二月）だ。

その後、穏健な立憲民主党が中心となって、臨時政府が成立する。ソヴィエトとの二重権力状態が続くなか、スイスに亡命していたボリシェヴィキ（社会主義勢力の左派）の指導者レーニンが帰国する。その後、しだいにボリシェヴィキが主要都市のソヴィエトの主導権を握り、11月、ペテログラードの軍事革命委員会の委員長トロツキーが一斉武装蜂起を命じた。ボリシェヴィキは一斉に蜂起し、臨時政府を倒して、世界初の社会主義政権を樹立した。これを「十月革命」（ロシア暦では10月）という。

ボリシェヴィキによる新政府は、戦争の停戦、銀行・重要産業の国有化、土地改革、外債の破棄などの政策をすすめるが、翌年に行われたロシア初の普通選挙でボリシェヴィキは惨敗を喫する。これに対して、1919年、レーニンは武力で議会を解散し、ボリシェヴィキの一党独裁体制を確立した。

そして、1922年には、ロシア、ウクライナ、白ロシア（ベラルーシ）、カフカスの4カ国によるソヴィエト社会主義共和国連邦（ソ連）が成立した。

第1次世界大戦は、そもそもどうして起きたのか？

冷戦終結後の世界では、民族紛争が続発してきたが、これは何も今にはじまったことではない。もとはといえば、あの第1次世界大戦の引き金を引いたのも、民族紛争だった。

ところはバルカン半島。近年も民族紛争が火花を散らしたボスニア・ヘルツェゴビナの中心地サラエボだった。

もともと、そこはセルビア人が支配的な土地。ところが、当時は、オーストリア＝ハンガリー帝国の支配下にあって、セルビア人たちの間では、セルビア人の国であるセルビア・モンテネグロに属してしかるべき、という感情が渦巻いていた。

そんな不穏な情勢の中、オーストリア皇太子夫妻がサラエボを訪れる。そのとき、事件は起きた。ガブリエル・プリンチプというセルビア人青年が、拳銃を持って皇太子の車に歩み寄ると、フェルナンド皇太子と妻ゾフィーに発砲、射殺したのだ。この「サラエボ事件」が引き金となって、人類史上初の世界戦争に突入していくことになる。

では、第1次世界大戦は、1人のセルビア人青年によって引き起こされたのかというと、それはちがう。

当時、ヨーロッパでは、列強が二つの勢力に分かれて対立していた。一方は、イギリス、ロシア、フランスを中心とする旧勢力、もう一方は、ドイツ、オーストリア、イタリア中心の新興勢力だ。この勢力争いに、巻き込まれたのがバルカン半島だ。今もそうだが、この地域は多数の民族が複雑に入り組んでいる。そこへ、ロシアがスラブ民族を支援するという建前で勢力を伸ばそうとし、それを牽制するため、ドイツとオーストリアがゲルマン主義を掲げて乗り込んでくる。そうした新旧勢力争いの舞台となって、バルカン半島は「死の十字路」と化していた。

そういう状況下で、2発の銃声が鳴り響いた。単なる民族紛争、二国間の争い事で終わるわけがなく、大戦突入は避けられない事態となったのだ。

突然の世界恐慌で世の中はどう変わった?

それは、1929年10月24日にはじまった。ニューヨーク・ウォール街の証券取引所で、ゼネラルモーター社の株価が急落したことをキッカケに、次々に株価が暴落、大混乱に陥った。これが、有名な「暗黒の木曜日」である。

その原因はいくつかあった。1920年代のアメリカは、空前の好景気に沸いていた。第1次世界大戦で大打撃を受けたヨーロッパへ、農産物や工業製品などを輸出し、一人勝ちの状態にあったのだ。企業業績は好調で、株価は高騰、誰もが株で一儲けしようと、株を買いあさっていた。

ところが、次第にヨーロッパの生産力が持ち直してくると、思うように輸出が伸びなくなり、生産過剰状態に陥る。さらに、ソビエトが社会主義化して国際市場から離脱したことも大きな打撃となった。異常気象による農作物の不作もあった。そして「暗黒の木曜日」が到来、ついにバブルの崩壊がはじまった。

株価は1か月で40％も暴落し、以後3年間、下落を続けた。多くの企業が倒産して、失業者が続出。消費は縮小して、不況の悪循環がはじまる。

アメリカ発のバブル崩壊は、たちまち世界中の資本主義国へと連鎖し、世界恐慌へと発展する。

不景気のピークは1932～1933年で、この頃アメリカでは、5000以上の銀行が倒産し、失業率は25％。イギリスでも同様に失業率25％。ドイツではさらに深刻で、失業率は40％にも達した。

結局、この恐慌への対応策として、各国が頼ったのは植民地だった。植民地をもつ国々（イギリス、フランス）は、関税を引き上げてブロック経済化で切り抜けようとし、第1次世界大戦に敗れて植民地を失った国々（ドイツ、イタリア）は、軍事力を増強して新たな植民地を獲得しようとした。

その結果、国際紛争の火種が増え、また、ファシズムの台頭を許して、歴史は第2次世界大戦へと突入していくことになる。ちなみに、アメリカ経済が本当に景気回復するのは、第2次世界大戦がはじまって戦争特需が生じてからのことである。

ガンジーの非暴力・不服従運動には、どんな効果があった？

20世紀初頭、マハトマ・ガンジーは、イギリスからの独立運動を推進していた国民会議派に参加し、運動を指導。徹底したサティアグラハ（非暴力抵抗）闘争で、インドを独立に導き、「インド独立の父」として讃えられるようになる。

ガンジーの非暴力思想は、もともとはヒンズーの教えに基づく。だからこそガンジーの呼びかけは、多くの国民を動かすことができたともいえる。

たとえば、ガンジーの指示した「ハルタール」という作戦は、要するにストライキのことだ。最初はたいした影響力はないだろうとタカをくっていた当局も、ほとんどの市民がハルタールに参加し、交通、商業、学校、行政、立法などの都市機能が麻痺するに及んで、あわてて弾圧に乗り出す。

しかし、非暴力を貫く民衆は、警棒で殴られようと、逮捕されようと、決して抵抗しようとしなかった。これがかえって、当局をおそれさせることになった。

このサティアグラハ闘争は、ガンジーの主導で2度にわたって展開されたが、いずれも、最後にはガンジー自身が停止命令を発して終わらせている。歯止めのきかなくなった民衆が、暴力的手段に訴えようとしたからだ。

ただ、現在では、ガンジーの思想にも、少しばかり疑問の声が挙がっているのも事実である。たとえば、インドのカースト制度に対して、ガンジーは、インドの伝統として容認し、階級闘争を財産に対する暴力と解釈して否定した。サティアグラハ闘争にしても、結局、インドの独立を直接勝ち取ったわけではない。

しかし、そうした声を考慮しても、ガンジーがインド独立の父であり、20世紀を代表する偉人であることにはかわりはない。

ヒトラーが権力を掌握できたのはなぜ？

ヒトラーが率いた「ナチ党」は、じつはヒトラーが創設したものではない。1919年9月、ナチ党の前身である「ドイツ労働者党」の集会を、ヒトラーは聴衆の1人として聞いていた。ヒトラーはその頃、軍の情報関係の下働きをしていた。軍からの命令で、集会を監視するために派遣されていたのだ。

ところが、よほど演説者の話がつまらなかったのか、ヒトラーは飛び入りして、その演説者をやりこめてしまう。これが、党議長の目にとまり、4日後には入党。党員わずか50名程度のささやかな政党だった。

その頃、ヒトラーの演説の才能には、軍もすでに注目し、プロパガンダの講習を受けさせてもいた。しかし、ヒトラーは党の理念に深く共感すると、軍を辞めて党務に専念するようになる。

ヒトラーは、弁舌の才能に磨きをかけ、集会で演壇に立っては党員を増やし、やがては党のトップに躍り出る。そして党名を「国民社会主義ドイツ労働者党」（ナチ党）と改めた。それから後のことは、よく知られているとおりだ。

20世紀前半までの歴史で、ヒトラーほど、プロパガンダの技術に長け、またその重要性を熟知していた政治家はいなかった。

選挙戦でも、独裁者になってからのPRでも、その才能を十分に発揮した。たとえば、この独裁者が、大衆に親近感を与えるため、子供や動物といっしょに写真に写ることが多かったのは有名な話だ。

第1次世界大戦から20年で、第2次世界大戦が起きてしまったのは？

第2次世界大戦は、第1次世界大戦の終結から、わずか20年後に起きた戦争である。これほど早く次の大戦が起きたのは、戦勝国が敗戦国ドイツに苛酷な条件を課し、世界恐慌がドイツ経済に追い打ちをかけたことが主因といえる。ドイツ国民は経済の立て直しをナチスにゆだね、そのナチスが勢力拡大の野望を実行したために、人類史上最大の戦争が引き起こされることになったのである。

ナチス率いるドイツの侵攻は、1935年、国際連盟の管理下にあったザール地方を併合することからはじまった。そして、翌年にはラインライト非武装地帯へ進駐したほか、イタリアとともに、スペインで人民戦線政府に対し、反乱を起こしたフランコ将軍を支援している。

ピカソが描いた『ゲルニカ』は、このときドイツ空軍によって行われたゲルニカ爆撃を非難したものだ。この爆撃によって、1654人の死者が出たといわれる。

さらに、ドイツの侵攻は続き、1938年にはオーストリアを併合、チェコスロバキアにズデーテン地方の割譲を要求した。当然、チェコスロバキアはこの要求を拒んだが、ドイツをソ連への防波堤としたい英仏はこれを容認。同年に開かれたミュンヘン会談でドイツの要求を受け入れたのだった。しかし、ドイツの暴走は続き、チェコスロバキアの解体にまでいたると、英仏にも危機感が芽生えはじめた。

そして、ドイツとソ連が独ソ不可侵条約を結び、両国ともポーランドに侵攻すると、英仏両国はドイツと戦うことを宣言する。こうして、1939年9月、ついに第2次世界大戦ははじまった。

　当初、戦況はドイツ有利に動いていた。1940年、ドイツはデンマーク、ノルウェー、オランダ、ベルギーへと進撃し、パリを占領。状況が有利と判断したイタリア、日中戦争に苦戦していた日本を味方につけ、「日独伊三国軍事同盟」を結成、ドイツの快進撃は続くかに思われた。

　しかし、ドイツが一方的に独ソ不可侵条約を破棄し、1941年にソ連に侵攻してから、しだいにその計画は綻びを見せはじめた。ナチスはソ連を3か月で倒せるという予測のもと、大量の軍と兵器を投入して戦いに挑んだが、ソ連軍は戦線を維持し続けたのである。ドイツ軍は、泥沼の戦いに引き込まれ、その間にソ連はイギリスと軍事同盟を結んだ。

　また、1941年8月は、アメリカ合衆国大統領ルーズヴェルトと、イギリス首相チャーチルが会談し、領土不拡大、各国間の経済協力などをうたった「大西洋憲章」を発表した年でもある。こうして戦争に、ファシズム対民主主義という性格が強まり、ドイツはしだいに劣勢に陥っていく。

第2次世界大戦で連合国が巻き返しをはかることができたきっかけは？

１９４１年12月には、日本軍がハワイの真珠湾を奇襲攻撃し、太平洋戦争が勃発した。開戦前、アメリカは中国侵略に加え、南進する日本への石油の供給を停止。イギリス、中国、オランダとＡＢＣＤラインを結び、日本の南進を阻止、大陸からの撤退も求めていた。このため、日本は12月８日にアメリカ軍の拠点基地である真珠湾を攻撃し、アメリカ、イギリスに対して宣戦した。こうして、ヨーロッパとアジアの戦争は結びつき、世界的な規模の戦争へと発展したのである。

そうなっても、しばらくの間は、日本とドイツはまだ優位にあった。日本は、マレー、フィリピン、ジャワ、スマトラ、ビルマを占領し、ドイツもソ連への攻撃は失敗に終わったものの、西部戦線は安定していた。

ところが、１９４２年に日本がミッドウェー海戦でアメリカに敗れ、１９４２年から１９４３年にかけてのスターリングラードの攻防でドイツがソ連に大敗すると、形勢は逆転。アメリカは太平洋海域を次々と日本から奪い返し、ソ連も各地でドイツ軍を撃破したのである。資源や生産力では枢軸国側にはるかに勝る連合国軍の反撃がはじまったのだ。

そんななか、まず最初に降伏したのはイタリアである。アフリカ戦線でイギリスに敗れたイタリアは、連合国軍に本土進撃を許したことで、１９４３年9月に無条件降伏する。

苦境に立たされたドイツは、１９４５年にはついにベルリンが陥落、4月にヒトラーは自殺、5月にはドイツは無条件降伏に至ったのである。

最後に残された日本に対しては、米・英・中が降伏勧告であるポツダム宣言を発表。軍国主義の除去や領土の限定、戦争犯罪人の処罰などを規定し、無条件降伏を呼びかけた。しかし、日本政府は、当初、この要求を無視。アメリカ軍は、１９４5年8月に広島と長崎に原子爆弾を投下。ソ連も日ソ不可侵条約を破棄して参戦したため、日本は8月15日に無条件降伏し、第2次世界大戦は終わりを迎えた。

そして、「昨日の味方は今日の敵」の言葉どおり、大戦終結直後から、アメリカとソ連の対立が強まっていくのである。

パレスチナが〝世界の火種〟になるまでの歴史的経緯とは？

パレスチナ問題を生んだのは、イギリスの無責任な「三枚舌外交」である。

話は、第1次世界大戦までさかのぼる。その頃、この付近一帯はオスマン帝国が支配していた。オスマン帝国と戦っていたイギリスは、アラブ勢力を味方にひきいれるため、「戦後、アラブ国家の独立を認める」と約束する。これが1915年の「フセイン・マクマホン協定」だ。

その一方で、イギリスのバルフォア外相は、戦費調達のため、ユダヤ資本であるロスチャイルド家の協力を得ようと、「パレスチナにユダヤ人のナショナル・ホームを設立する」と約束する。これが、1917年のバルフォア宣言だ。

イギリスは、このように、双方にちがう約束をしたうえで、戦後この地域の支配権をイギリスとフランスで分け合う、という秘密協定も結んでいたことが、後に暴露される。その秘密協定が、1916年の「サイクス・ピコ協定」だ。

こうしたイギリスの三枚舌外交が、パレスチナ問題のそもそもの発端になっているのだ。とくに、長い間、キリスト教社会で迫害されてきたユダヤ人は、戦後、国際世論の同情論にも後押しされて、イギリスが建国を約束したイスラエルに次々と移住してくる。第2次世界大戦後は、ますますその人数が増える。

ところが、そこはもとからアラブ人たちが住むアラブ人の土地だ。紛争にならないわけがない。手に負えなくなったイギリスは、1947年、パレスチナ問題を国連の手にゆだねる。国連による「パレスチナ分割」が行われ、イスラエルは分け与えられた土地で建国を宣言する。しかし、これを認めないアラブ諸国との間で、その後の長期にわたる中東紛争がはじまった、というわけだ。

■参考文献

「世界の歴史」(中央公論社)／「100問100答世界の歴史」歴史教育者協議会編(河出書房新社)／「人物世界史1・2」今井宏編／「人物世界史3・4」佐藤次高編(以上、山川出版社)／「学校では教えてくれない世界の偉人の謎」(学研)／「民族世界地図」浅井信雄／「宗教世界地図」石川純一(以上、新潮文庫)／「民族の世界地図」「地名の世界地図」「人名の世界地図」21世紀研究会編(以上、文春新書)／「物語ドイツの歴史」阿部謹也／「物語中東の歴史」牟田口義郎(以上、中公新書)／「ジンギスカンの謎」川崎淳之助／「エリザベスⅡ世」青木道彦(以上、講談社現代新書)／「この一冊でアメリカの歴史がわかる」猿谷要(三笠書房)／「この一冊で世界の地理がわかる!」高橋伸夫編著(三笠書房)／「物が語る世界の歴史」綿引弘(聖文社)／「図解雑学世界の歴史」岡田功(ナツメ社)／「90分でわかる世界史の読み方」水村光男(かんき出版)／「高校の世界史を復習する本」祝田秀全(中経出版)／「ウラ読み世界史」宮崎正勝(日本実業出版社)／「世界史なぜなぜ百貨店」(新人物往来社)／「らくらく入門塾世界史講義」水村光男監修(ナツメ社)／「目からウロコの世界史」島崎晋(PHP)／「世界戦史99の謎」武光誠(PHP文庫)／「世界謎と発見事典」三浦一郎監修(三省堂)／「詳説世界史」(山川出版社)／「山川世界史総合図録」(山川出版社)／「世界史年表・地図」(吉川弘文館)「世界不思議百科」コリン・ウィルソン、ダモン・ウィルソン(青土社)／「これは意外!」「世界不思議物語」リーダーズダイジェスト社／「歴史パズル」吉岡力(光文社)／ほか

※本書は、『ここが一番おもしろい世界史と日本史裏話大全』(青春出版社／2015)、『ここが一番おもしろい! 世界史の舞台裏』(同／2006年)に新たな情報を加え、改題の上、再編集したものです。

青春文庫

読《よ》み出《だ》したらとまらない 世界史《せかいし》の裏面《りめん》

2023年12月20日　第1刷

編　　者　歴史《れきし》の謎研究会《なぞけんきゅうかい》

発行者　小澤源太郎

責任編集　株式会社プライム涌光

発行所　株式会社青春出版社

〒162-0056　東京都新宿区若松町 12-1
電話 03-3203-2850（編集部）
03-3207-1916（営業部）
振替番号　00190-7-98602

印刷／大日本印刷
製本／ナショナル製本

ISBN 978-4-413-29842-1

数字に強い人のすごい考え方

頭のいい人がモノを判断するときに、一番大事にしていること——。この〝数字の感覚〟があれば、もっと快適に生きられる！

話題の達人倶楽部［編］

(SE-839)

歴史の歯車をまわした 発明と発見 その衝撃に立ち会う本

新しい〝世界〟が誕生する瞬間とは？読めば、人類の歩みを〝追体験〟して、未来が見えてくる！

おもしろ世界史学会［編］

(SE-840)

9割が答えに詰まる 日本史の裏面

日本史の舞台裏で起きたこと、すべて集めました。「謎解き」を通して、歴史の醍醐味をとことん味わう本

歴史の謎研究会［編］

(SE-841)

読み出したらとまらない 世界史の裏面

舞台裏から見ると、歴史はもっと深くなる——。躍動する人間ドラマを知ると、大人の教養が自然と身につく。

歴史の謎研究会［編］

(SE-842)